TMS EMS

FIGUREN UND FAKTEN LERNEN
ÜBUNGSBUCH
6. AUFLAGE

28 KOMPLETTE TMS & EMS SIMULATIONEN • 1120 ORIGINALGETREUE ÜBUNGSAUFGABEN • AUSFÜHRLICHE ERKLÄRUNGEN ZU LERNMETHODEN UND MNEMOTECHNIKEN • EFFIZIENTE LÖSUNGSSTRATEGIEN • BEWÄHRTE TIPPS & TRICKS • EXAKTE ANALYSE DER ORIGINALAUFGABEN • DETAILLIERTER TRAININGSPLAN

Zuschriften, Lob und Kritik bitte an:

MedGurus® Verlag
Am Bahnhof 1
74670 Forchtenberg
Deutschland

Email: buecher@medgurus.de

Bibliografische Information der Deutschen Nationalbibliothek

Die Deutsche Nationalbibliothek verzeichnet diese Publikation in der Deutschen Nationalbibliografie.
Detaillierte bibliografische Daten sind im Internet über http://dnb.dnb.de abrufbar.

1. Auflage März 2012
2. Auflage November 2013
3. Auflage Februar 2014
4. Auflage Dezember 2014
5. Auflage November 2015
5. Aktualisierte Auflage November 2016
5. Aktualisierte Auflage November 2017
6. Auflage Oktober 2018
6. Aktualisierte Auflage Oktober 2019

Umschlaggestaltung: Studio Grau, Berlin
Layout & Satz: Studio Grau, Berlin
Lektorat: Marina Essig
Druck & Bindung: Schaltungsdienst Lange oHG,
                     Berlin

Printed in Germany
ISBN: 978-3-944902-26-5

INHALTS VERZEICHNIS

1 EINLEITUNG – FIGUREN LERNEN   7

1.	ALLGEMEINES UND AUFBAU	8
2.	BEARBEITUNGSSTRATEGIE	10
3.	ZUSATZSTRATEGIE ECKEN-TRICK	14
4.	TRAININGSPENSUM UND –ANLEITUNG	16

2 EINLEITUNG – FAKTEN LERNEN   17

1.	ALLGEMEINES UND AUFBAU	18
2.	BEARBEITUNGSSTRATEGIE	19
3.	TRAININGSPENSUM UND –ANLEITUNG	23
4.	HILFE-CHAT	24
5.	NEUIGKEITEN ZUM TMS	24
6.	UNI RANKING – DEINE STUDIENPLATZCHANCE	24

3 ÜBUNGSAUFGABEN - EINPRÄGEPHASE   25

1.	SIMULATION 1	27/29
2.	SIMULATION 2	30/31
3.	SIMULATION 3	32/33
4.	SIMULATION 4	34/36
5.	SIMULATION 5	36/37
6.	SIMULATION 6	38/39
7.	SIMULATION 7	40/41
8.	SIMULATION 8	42/43
9.	SIMULATION 9	44/45
10.	SIMULATION 10	46/47
11.	SIMULATION 11	48/49
12.	SIMULATION 12	50/51
13.	SIMULATION 13	52/53
14.	SIMULATION 14	54/55
15.	SIMULATION 15	56/57
16.	SIMULATION 16	58/59
17.	SIMULATION 17	60/61
18.	SIMULATION 18	62/63
19.	SIMULATION 19	64/65
20.	SIMULATION 20	66/67
21.	SIMULATION 21	68/69
22.	SIMULATION 22	70/71
23.	SIMULATION 23	72/73
24.	SIMULATION 24	74/75
25.	SIMULATION 25	76/77
26.	SIMULATION 26	78/79
27.	SIMULATION 27	80/81
28.	SIMULATION 28	82/83

4 ÜBUNGSAUFGABEN - REPRODUKTIONSPHASE 85

1.	SIMULATION 1	87/89
2.	SIMULATION 2	90/91
3.	SIMULATION 3	92/93
4.	SIMULATION 4	94/95
5.	SIMULATION 5	96/97
6.	SIMULATION 6	98/99
7.	SIMULATION 7	100/101
8.	SIMULATION 8	102/103
9.	SIMULATION 9	104/105
10.	SIMULATION 10	106/107
11.	SIMULATION 11	108/109
12.	SIMULATION 12	110/111
13.	SIMULATION 13	112/113
14.	SIMULATION 14	114/115
15.	SIMULATION 15	116/117
16.	SIMULATION 16	118/119
17.	SIMULATION 17	120/121
18.	SIMULATION 18	122/123
19.	SIMULATION 19	124/125
20.	SIMULATION 20	126/127
21.	SIMULATION 21	128/129
22.	SIMULATION 22	130/131
23.	SIMULATION 23	132/133
24.	SIMULATION 24	134/135
25.	SIMULATION 25	136/137
26.	SIMULATION 26	138/139
27.	SIMULATION 27	140/141
28.	SIMULATION 28	142/143

5 LÖSUNGEN 145

1.	LÖSUNGEN	146
2.	ANTWORTBOGEN ZUM KOPIEREN	156

6 BUCHEMPFEHLUNGEN, E-LEARNING UND SEMINARE 157

1.	ÜBUNGSMATERIAL ZU DEN EINZELNEN UNTERTESTS	159
2.	E-LEARNING	161
3.	VORBEREITUNGSSEMINARE	162

7 LITERATURVERZEICHNIS 163

VORWORT

Hinter dem MedGurus® Verlag steht eine Initiative von approbierten Ärzten und Medizinstudenten, die es sich zur Aufgabe gemacht haben Medizininteressierten zu ihrem Studienplatz zu verhelfen. Es ist unser Anliegen Chancengleichheit bei der Vorbereitung auf den Medizinertest herzustellen und keine Selektion durch überteuerte Vorbereitungskurse und -materialien zu betreiben. Wir haben daher in den vergangenen Jahren viel Zeit und Herzblut in die Erstellung von Seminaren, Büchern und unserer E-Learning-Plattform investiert. Inzwischen können wir dieses Vorbereitungsangebot für den TMS, EMS, MedAT und Ham-Nat zu studentisch fairen Preisen anbieten. Wir hoffen, dass wir Dir damit den Weg ins Medizinstudium ebnen können, so wie uns das schon bei einer Vielzahl Medizinstudenten vor Dir erfolgreich gelungen ist.

Das Konzept unserer Buchreihe für den TMS & EMS ist simpel:

* Der Leitfaden und der Mathe-Leitfaden für den TMS & EMS erklären Dir anhand von verständlichen Beispielen die Lösungsstrategien zu den einzelnen Untertests des TMS & EMS.
* Mit unseren Übungsbüchern hast Du die Möglichkeit anhand der zahlreichen Übungsaufgaben, zu den jeweiligen Untertests, die beschriebenen Lösungsstrategien einzustudieren.
* Mit unserer TMS Simulation kannst Du zum Abschluss Deiner Vorbereitung Deine Fähigkeiten realistisch überprüfen.

Unsere TMS & EMS Buchreihe wird dabei jedes Jahr auf den neuesten Stand gebracht und an die aktuellen Änderungen im TMS & EMS angepasst.

Auf Dein Feedback zu unseren Büchern freuen wir uns. Für konstruktive Kritik haben wir immer ein offenes Ohr und setzen Deine Wünsche, Anregungen und Verbesserungsvorschläge gerne um. Du erreichst uns unter buecher@medgurus.de oder auf Facebook unter www.facebook.com/medgurus. Hier veröffentlichen wir auch regelmäßig Neuigkeiten zu den Medizinertests.

Im Übrigen werden fünf Prozent der Gewinne des MedGurus® Verlages für karitative Zwecke gespendet. Detaillierte Informationen zu unseren geförderten Projekten findest Du auf unserer Homepage www.medgurus.de.

Jetzt wünschen wir Dir viel Spaß bei der Bearbeitung dieses Buches, eisernes Durchhaltevermögen bei der Vorbereitung und nicht zuletzt viel Erfolg im Medizinertest!

Dein Autorenteam
Alexander Hetzel, Constantin Lechner und Anselm Pfeiffer

DANKE!
Wenn Du der Meinung bist, dass Dir dieses Buch helfen konnte, dann bewerte es bitte auf **Amazon.de** oder auf unserer Homepage **www.medgurus.de.**

EINLEITUNG – FIGUREN LERNEN

1. ALLGEMEINES UND AUFBAU   8

2. BEARBEITUNGSSTRATEGIE   10

3. ZUSATZSTRATEGIE ECKEN-TRICK   14

4. TRAININGSPENSUM UND –ANLEITUNG 16

EINLEITUNG

–

FIGUREN LERNEN

1. ALLGEMEINES UND AUFBAU

Der Untertest Figuren lernen gehört zu den Untertests, in denen Du Dich in kürzester Zeit deutlich verbessern kannst. Es handelt sich dabei um einen Merkfähigkeitstest, der Dir nach wenigen Tagen konsequenten Trainings nicht mehr als unerreichbare Gedächtnisleistung erscheinen wird, sondern als kreatives Spiel, bei dem Du täglich Fortschritte erzielst.

Aus diesem Grund zählt man diesen Untertest zu Recht zu den „leichteren" Abschnitten des TMS bzw. EMS, und jeder, der genügend Motivation für die Vorbereitung aufbringen kann, wird hier meist mit der vollen Punktzahl belohnt. Also viel Spaß bei den nächsten Schritten.

Der Test wird in zwei Phasen unterteilt:
1. Einprägephase
2. Reproduktionsphase

Die Einprägephase, der erste Test nach der Mittagspause, dauert nur kurze vier Minuten. Es liegen 20 Figuren mit jeweils fünf Feldern vor. Bei jeder Figur ist immer nur eines der fünf Felder geschwärzt und Deine Aufgabe besteht darin, diese später wiederzuerkennen.

Bei dieser Phase des Tests gilt generelles Stiftverbot, d.h. man darf in dieser Phase des Tests keine Stifte benutzen.

Figuren in der Einprägephase

60 Minuten später folgt die Reproduktionsphase, welche mit fünf Minuten zeitlich ausreichend bemessen ist. Hier findest Du dieselben Figuren wie in der Einprägephase vor, allerdings dieses Mal ohne die geschwärzten Flächen. Dafür befinden sich in den fünf Feldern die Buchstaben A bis E. Die Aufgabe besteht nun darin, die zuvor in den Figuren geschwärzten Felder anzugeben.

▽ VORSICHT

Die Figuren werden zwar nie gedreht, doch wird ihre Reihenfolge vertauscht.
Es ist also sinnlos sich die Felder anhand der Reihenfolge einzuprägen.

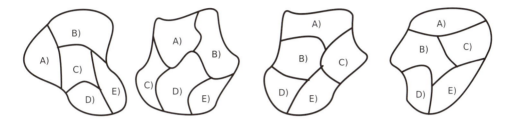

Figuren in der Reproduktionsphase

Der Test zwischen den beiden Phasen wird übrigens Zertrümmerungstest genannt, da er den Testteilnehmer ablenken und dessen Erinnerungen zertrümmern soll. Im TMS und EMS ist dieser Zertrümmerungstest der Untertest Textverständnis.

2. BEARBEITUNGSSTRATEGIE

Der effizienteste Weg Dir die Figuren einzuprägen, besteht darin für jede Figur eine Assoziation für den Umriss und eine Verknüpfung zu dieser Assoziation für das geschwärzte Feld herzustellen. Hierbei musst Du Dich allerdings an ein paar Regeln halten, um häufige Fehler zu vermeiden.

Du musst Dir für jeden Umriss ein eigenes und einprägsames Bild vorstellen. Die Position des geschwärzten Feldes merkst Du Dir am besten, indem Du in das Bild noch eine zusätzliche Verknüpfung einfügst. Diese Verknüpfung sollte die Lage des geschwärzten Feldes im Bild eindeutig widerspiegeln, ohne dass Du dabei Richtungsangaben verwenden musst.

Gebirge **mit** Tunneleinfahrt = „Umriss" **mit** „Verknüpfung"

Wie oben bereits erwähnt, sollte jeder der 20 Umrisse sein eigenes Merkbild bekommen, da es sonst zu Verwechslungen in der Reproduktionsphase kommt. Einzige Ausnahme wäre, wenn zwei ähnliche Umrisse vorliegen, bei denen auch das geschwärzte Feld an der gleichen Stelle liegt.

Entlein mit Schnabel

Entlein mit Schnabel

Hier darfst Du Dir selbstverständlich dasselbe Bild zwei Mal merken, da eine Verwechslung keine Auswirkung hätte, da in beiden Fällen der „Schnabel" das geschwärzte Feld ist.

Leider kommt dieser Fall eher selten vor. Deutlich häufiger wirst Du auf zwei ähnliche Umrisse stoßen, bei denen die geschwärzten Felder an jeweils unterschiedlichen Stellen liegen.

Deshalb solltest Du versuchen, Dir zwei verschiedene Bilder zu merken.

Papagei mit Augenklappe   Männchen beim Sackhüpfen

Ähneln sich die Bilder zu sehr oder fällt Dir in der kurzen Zeit einfach nichts Neues ein, kannst Du es mal mit folgendem Trick versuchen:

Wenn Du die Umrisse miteinander vergleichst, solltest Du Dir den **ersten markanten Unterschied** merken, der Dir ins Auge springt, und ihn in seine Bild-Verknüpfung mit einbauen. In der Reproduktionsphase kannst Du dann mit Hilfe dieses Unterschiedes die beiden Bilder identifizieren und unterscheiden.

trauriger Pinguin mit Mütze   eitler Pinguin mit Knieschoner

Beide Bilder erinnern an einen Pinguin. Derjenige der auf den Boden schaut, trägt eine Mütze, der andere der in die Luft schaut, stößt sich z.B. das Knie. Bild 1 wäre demnach **der traurige Pinguin mit Mütze** und Bild 2 **der eitle Pinguin mit Knieschoner**.

✳ TIPPS

✳ RORSCHACH

Keine Sorge, wenn es nicht gleich von Anfang an klappt. Es ist noch kein Meister vom Himmel gefallen und diese banale Weisheit hat bei diesem Untertest besondere Gültigkeit. Fast alle unsere Kursteilnehmer hatten enorme Schwierigkeiten, zu Beginn einen „Tintenfleck" von dem nächsten zu unterscheiden. Alle bestätigten uns aber **enorme Erfolge nach nur ein bis zwei Wochen Training.** Dieser Untertest ist eindeutig trainierbar und jeder kann hier mit Übung eine erstaunliche Verbesserung erzielen.

✳ SEX SELLS

Du solltest versuchen Dir **amüsante** und übertriebene Bilder zu merken. Je witziger und auffälliger Du selbst die Bilder findest, desto einprägsamer sind sie. Die EMS TEST INFO empfiehlt: „Konkrete und prägnante (vielleicht sogar ausgefallene oder absurde) Bedeutungen sind besonders gut als Erinnerungshilfen geeignet. Haben Sie keine Scheu beim Assoziieren; auch sexuell oder emotional gefärbte Gedankenbrücken sind in der Regel sehr einprägsam, und eine Assoziation, die Ihnen dumm vorkommt, ist in jedem Fall hilfreicher als gar keine Assoziation". (Test Info'07, 2007, S. 36)

✳ KANDINSKY & CO

Die Merkbilder müssen nicht zwangsläufig ein Abbild der Realität sein und dem originalen Umriss nur schematisch entsprechen, da Du sie schließlich nur für Dich **selbst** wiedererkennen musst. Vereinfachend kommt hinzu, dass in der Reproduktionsphase **genau dieselben Ausschnitte** wieder vorgelegt werden, die Wiedererkennung ist dann ein Leichtes. Es reicht also ganz **abstrakt** zu denken und nur die angedeutete Form oder einen markanten Abschnitt des Umrisses zu nutzen, um Dir daraus Dein Merkbild zu schaffen. Durch Ausprobieren kannst Du entdecken, wie weit Du gehen kannst.

✳ REPETITIO EST MATER STUDIORUM

Besondere Bedeutung kommt auch der Wiederholung der gelernten Figuren zu. Nachdem Du Dir für die Figuren einen Umriss mit Verknüpfung gemerkt hast, solltest Du die Figuren mindestens noch einmal wiederholen, damit sie sich besser im Gedächtnis einprägen.

AKTUELL

● **DAS VOLLEYBALL-DILEMMA**

In den letzten TMS-Durchführungen wurden ausschließlich Figuren abgebildet die einen sehr ähnlichen Umriss hatten. Dabei müssen alle Figuren nach Aussage der Teilnehmer wie **Volleybälle** ausgesehen haben. Dadurch wird der Schweregrad der Aufgabe natürlich enorm erhöht. In diesem Fall ist es besonders ratsam sich auf die **feinen Unterschiede der einzelnen Umrisse** zu konzentrieren und sich diese in Form visueller Bilder einzuprägen. Des Weiteren wird der **Ecken-Trick**® bei dieser erschwerten Fragestellung zunehmend wichtiger. Hierdurch kann man sich mit geringem Aufwand einen großen Teil der zu lernenden Figuren sparen. Erfahre hierzu mehr im nächsten Kapitel.

EINLEITUNG – FIGUREN LERNEN • BEARBEITUNGSSTRATEGIE

1

3. ZUSATZSTRATEGIE ECKEN-TRICK

Der Ecken-Trick ist eine geniale Erfindung von meinem Bruder und stammt aus der Zeit meiner eigenen TMS-Vorbereitungsphase. Er folgt dem Minimax-Prinzip: weniger arbeiten und mehr leisten. Mit diesem Trick kannst Du eine Anzahl von Umrissen in der Einprägephase wegfallen lassen und in der Reproduktionsphase trotzdem richtig kreuzen.

In der Einprägephase solltest Du, bevor Du mit der Assoziation der einzelnen Figuren beginnst, Dir einen kurzen Überblick verschaffen. Wenn Du Dir die Figuren genau anschaust, wird Dir auffallen, dass sich viele geschwärzte Felder in einer eindeutig verorteten Ecke befinden. In den folgenden Beispielaufgaben befindet sich das geschwärzte Feld in vier von 20 Figuren eindeutig in der linken unteren Ecke.

Du merkst Dir also die Anzahl der Figuren und die Lage des geschwärzten Feldes und lässt diese Figuren dann in der Einprägephase bewusst weg.

In der Reproduktionsphase wirst Du dann nur die Bilder wiedererkennen, die Du Dir zuvor eingeprägt hast. Alle restlichen Figuren (in unserem Bsp. vier Figuren) sind diejenigen, die zuvor weggelassen wurden. Für diese musst Du nur noch den entsprechenden Buchstaben für die gemerkte Ecke ankreuzen.

In diesem Beispiel hättest Du Dich für alle Figuren, die ihre Markierung links unten haben, entscheiden können. Das waren in der ersten wie auch in der letzten Reihe jeweils die zweite und vierte Figur, insgesamt also vier Figuren. Demnach hättest Du lediglich 16 Figuren lernen müssen und hättest Dir auf diese Weise 20 Prozent der Arbeit gespart. Die Entscheidung, bei welcher Ecke man die meisten Figuren weg lassen kann, hängt natürlich von der Verteilung im jeweiligen Test ab. Sie sollte aber stets schnell und innerhalb weniger Sekunden getroffen werden.

▽ VORSICHT

Zu Hause solltest Du den Ecken-Trick nicht anwenden und jede Figur einzeln lernen, um Deine Trainingsergebnisse zu verbessern. Erst wenn Du Dich sicher im Umgang mit allen 20 Figuren fühlst, kannst Du die Strategie als zusätzlichen Zeitbooster verwenden.

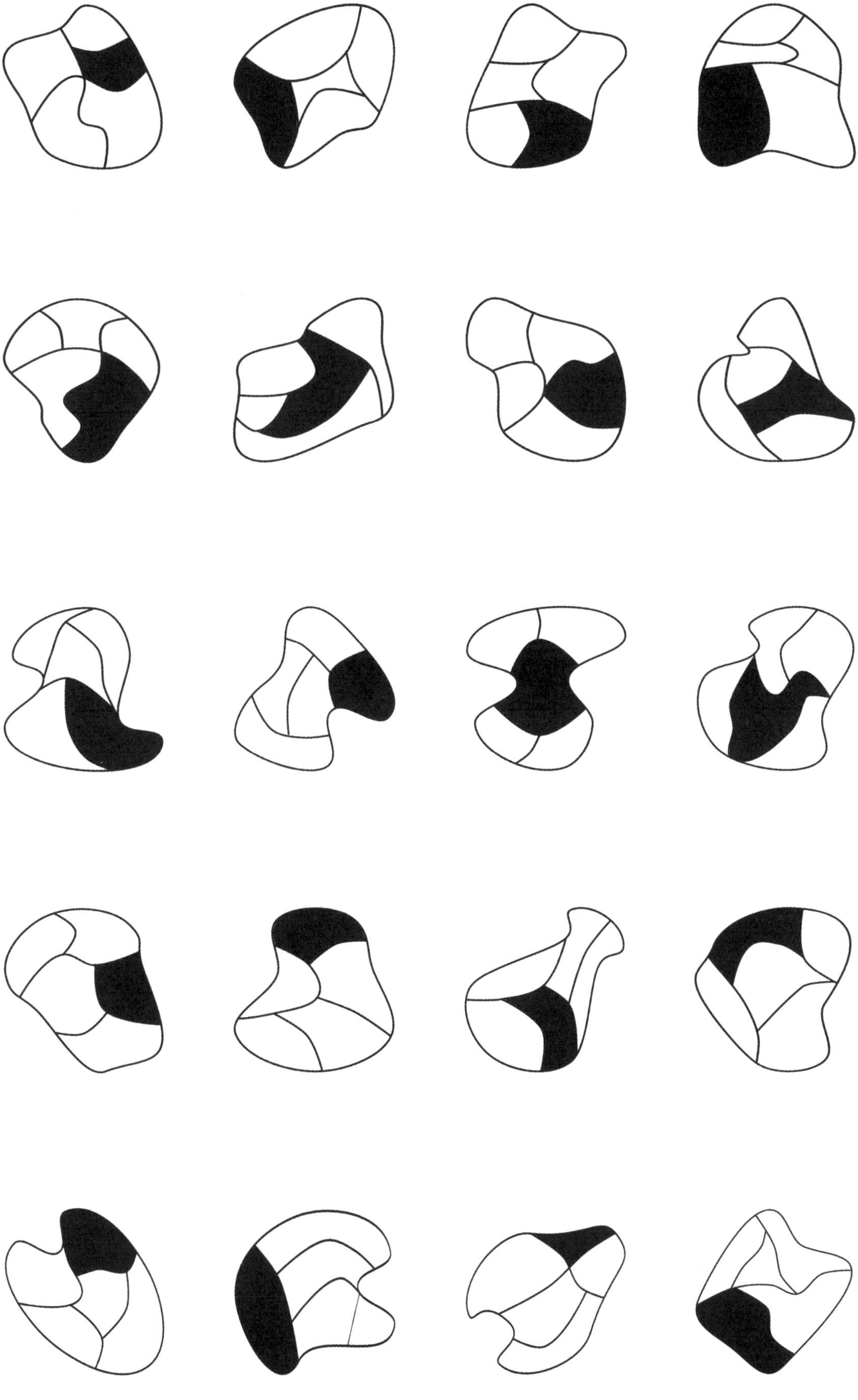

4. TRAININGSPENSUM UND –ANLEITUNG

Bei diesem Untertest kann jeder schnell Fortschritte erreichen, ganz gleich welche Voraussetzungen man mitbringt. Um ausreichend üben zu können, sollte genügend Übungsmaterial vorhanden sein, da Du jede Aufgabe nur einmal machen solltest und eine Wiederholung derselben Aufgabe nicht den gleichen Lerneffekt mit sich bringt.

Wichtig ist, dass Du Dich stetig über einen längeren Zeitraum (mindestens fünf Wochen) vorbereitest und vor allem zu Beginn etwa vier mal pro Woche einen Untertest absolvierst. Allerdings muss das Training drei Tage vor dem Test beendet werden, damit es nicht zu Verwechslungen kommt. Du solltest Dir in der ersten Woche zehn Minuten Zeit für die Einprägephase nehmen. Dies ist am Anfang immer noch schwer genug. Sobald Du das gemeistert hast, kannst Du es mit neun Minuten versuchen, dann mit acht, sieben, sechs, fünf, bis Du schließlich bei vier Minuten angekommen bist. Du musst nicht bei jedem Üben schneller werden, aber in der letzten Woche vor dem TMS solltest Du Dich bei vier Minuten sicher fühlen. Eine wöchentliche Steigerung wäre also sinnvoll.

◎ AKTUELL

- **BAGGERN UND PRITSCHEN**
  Damit Du an Deiner Volleyballtechnik arbeiten und Dich optimal vorbereiten kannst haben wir die Simulationen 21 bis 28 in diesem Übungsbuch an das verflixte Volleyball-Dilemma angepasst. Viel Spaß beim Balljonglieren!

EINLEITUNG
–
FAKTEN LERNEN

1. ALLGEMEINES UND AUFBAU   18

2. BEARBEITUNGSSTRATEGIE   19

3. TRAININGSPENSUM UND –ANLEITUNG 23

4. HILFE-CHAT   24

5. NEUIGKEITEN ZUM TMS   24

6. UNI RANKING –
   DEINE STUDIENPLATZCHANCE   24

EINLEITUNG – FAKTEN LERNEN

1. ALLGEMEINES UND AUFBAU

Auch bei diesem Untertest wird die Merkfähigkeit getestet. Dieses Mal geht es allerdings um Patientendaten. Er ist dem Untertest Figuren lernen sehr ähnlich, in manchen Teilen aber komplexer. Fairerweise ist bei diesem Untertest eineinhalb mal so viel Zeit in der Einprägephase gegeben, wie beim Untertest Figuren lernen. Aber auch dieser Untertest ist durch ausreichend Training sehr gut zu meistern. Für die Einprägephase sind sechs Minuten gegeben, in denen man mit 15 Patientengeschichten konfrontiert wird.

Zu jedem Patient werden folgende Informationen genannt:

NAME	ALTER	BERUF	EIGENSCHAFT	DIAGNOSE
Wolff	ca. 17 Jahre	Kurier	originell	Quetschwunde

Zuerst solltest Du versuchen, die Merkmale der Aufgabenstellung anhand der ersten Beispielaufgabe nachzuvollziehen.

Beispielaufgabe 1

```
Baum:          ca. 18 Jahre,    Zahnarzt, ledig - Karies
Strauch:       ca. 18 Jahre,    Arzt-Helferin, nervös - Mundgeruch
Waldner:       ca. 18 Jahre,    Kosmetikerin, überwiesen - Heiserkeit


Schwarzer:     ca. 22 Jahre,    Mechaniker, alleinerziehend - Hautausschlag
Brauner:       ca. 22 Jahre,    Lkw-Führerin, depressiv - Oberschenkelbruch
Dünkel:        ca. 22 Jahre,    Rennfahrer, verheiratet - Bandscheibenschäden


Metzger:       ca. 35 Jahre,    Fußballtrainer, ängstlich - Mittelohrentzündung
Backner:       ca. 35 Jahre,    Radsport-Profi, misstrauisch - Allergie
Kasner:        ca. 35 Jahre,    Masseurin, Notfall - Rückratverletzung


Vogel:         ca. 50 Jahre,    Schauspieler, wütend - Hodenkrebs
Bleibtreu:     ca. 50 Jahre,    Kameramann, ungestüm - Lungencarzinom
Katterfeldt    ca. 50 Jahre,    Hostess, Ambulanz - Nasenbluten


König:         ca. 70 Jahre,    technische Zeichnerin, pensioniert - Knochenkrebs
Kayser:        ca. 70 Jahre,    Statiker, kontaktarm - Herzversagen
Voigt:         ca. 70 Jahre,    Feinmechanikerin, stupide - Herzinfarkt
```

Die Daten sind in fünf Dreier-Gruppen sortiert. Alle drei Patienten einer Gruppe haben stets dasselbe Alter. Zudem sind die Gruppen nach aufsteigendem Alter sortiert. Auffällig ist auch, dass innerhalb der Gruppen die Namen sehr ähnlich sind und die Berufe alle aus demselben Berufsfeld stammen.

Auch diese Einprägephase wird durch den 60-minütigen Zertrümmerungstest von der Reproduktionsphase getrennt, in welcher 20 Verknüpfungs-Fragen zu den vorher eingeprägten Patienten gestellt werden. Das heißt in der Frage steht ein Detail, wie z. B. der Beruf eines Patienten, in den Antwortmöglichkeiten steht ein dazugehöriges Detail, wie z. B. die richtige Diagnose. Auffällig ist, dass keine neuen Fakten geschaffen werden, sondern dass nur Antwortmöglichkeiten aus der Einprägephase vorkommen.

Typische Fragenbeispiele aus der Reproduktionsphase

1. Die Arzt-Helferin…

(A) ist ledig
(B) ist verheiratet
(C) ist kontaktarm
(D) ist nervös
(E) befindet sich in der Ambulanz

2. Die Patientin mit der Rückgratverletzung ist…

(A) ca. 18 Jahre
(B) ca. 22 Jahre
(C) ca. 35 Jahre
(D) ca. 50 Jahre
(E) ca. 70 Jahre

2. BEARBEITUNGSSTRATEGIE

Hier ist die Mnemotechnik (dt. Gedächtniskunst) ein klein wenig komplizierter, da auf mehr Details geachtet werden muss. Grundsätzlich arbeiten wir aber, wie in der Regel bei allen Mnemotechniken, mit abstrakten Bildern. Das abstrakte Bild muss hierbei erst aus den Fakten konstruiert werden. Dabei gilt: je abstrakter, desto einprägsamer. Zum leichteren Verständnis wird die Vorgehensweise Schritt für Schritt anhand eines Beispiels erklärt.

Beispiel

Baum: ca. 18 Jahre,   Zahnarzt, ledig - Karies

Bei diesem Beispiel könntest Du Dir einen Baum (Nachname Baum) mit einem Zahn (Beruf Zahnarzt), der einen Schubkarren (Diagnose Karies) schiebt, vorstellen. Zusätzlich trägt der Baum eine Lederhose (ledig).

An diesem Beispiel wird deutlich, dass man die Fakten in abstrakte Bilder umwandelt, die man sich leichter vorstellen und merken kann. Dabei solltest Du Folgendes beachten:

* Die Bilder sollten sehr vereinfacht und abstrakt sein (z. B. Pinsel für Maler). Für das Vereinfachen der Fakten kannst Du auf Bekanntes, Bekannte oder Prominente zurückgreifen, da man sich diese leichter merkt. Oft genügt es, aus Wortteilen oder dem gleichem Wortanfang der zu lernenden Fakten Bilder zu bauen (Asthmaanfall vereinfacht: Ast). Es bietet sich auch an, Reime aus Fakten zu bilden, die man sich dann einfacher bildlich abspeichern kann, z. B. Herzinfarkt wird zu Herz im Quark.
* Jedes zu merkende Patientendetail wird zu einem sichtbaren Detail in einem Bild umgewandelt. Bei der Diagnose Herzinfarkt muss das Bild

z. B. schwarzes Herz sichtbar sein und nicht unter der Brust des Patienten versteckt liegen. Der Begriff kinderlos kann z. B. mit Kind mit Lotterielos oder ein totes Kind (ist zwar brutal, aber man merkt es sich) memoriert werden und nicht durch das Fehlen von Kindern. (Werner Metzig, 2003, S. 75 ff)

* Das Bild sollte so viel wie nötig, aber so wenig wie möglich Details enthalten. Technische Zeichnerin sollten demnach nicht mit Zirkel, Geodreieck und Bergen von Papierrollen illustriert werden, sondern am besten nur mit einem dieser Bilder: Zirkel (Werner Metzig, 2003, S. 75 ff)

* Das Alter muss nicht separat gelernt werden (Erklärung im Kapitel Alter).

* Das Geschlecht muss mitgelernt werden (Erklärung im Kapitel Geschlecht).

* Oft ähneln sich die Patienten in einzelnen Fakten, wie z. B. ähnliche Charakter-eigenschaften oder Diagnosen. Fällt Dir das beim Einprägen auf, solltest Du darauf achten sehr präzise Bilder zu verwenden, die eine Verwechslung ausschließen, da diese Feinheiten oft abgefragt werden. Hast Du Dir die Diagnose Hautausschlag bildlich mit einer Rötung und eitrigen Pickeln vor-gestellt, so solltest Du bei der Diagnose Allergie ein neues Bild verwenden, z. B. einen Alligator.

* Jeder Patient bekommt ein eigenes Phantasiebild, das aus den Bildern/ Gegenständen Name, Beruf, Charaktereigenschaft, Diagnose und evtl. Geschlecht besteht.

GESCHLECHT

Das Geschlecht ist ein weiterer Fakt, der gelernt werden muss, da in der Reproduktionsphase danach gefragt wird. Welches Geschlecht vorliegt, ist aus der jeweiligen Berufsbezeichnung ersichtlich. Das Geschlecht ist sehr einfach zu merken. Da es immer nur zwei Möglichkeiten (m/w) gibt, solltest Du Dich für eines der beiden möglichen Geschlechter entscheiden. Das Geschlecht deiner Wahl musst du dann aber auch immer konsequent in das memorierte Bild einbauen. Das andere Geschlecht kannst Du dann vernachlässigen. Wenn Du Dich also z. B. für die weibliche Seite entschieden hast, solltest Du immer, wenn der Patient weiblich ist, eine Frau (oder ein eindeutig weibliches Symbol) in das Bild einfügen. Du solltest diese Frau dann in Gedanken mit den anderen zugehörigen Objekten verknüpfen. Umgekehrt darf natürlich, wenn der Patient männlich ist, keine Frau in dem Bild sein. Häufig wird das Geschlecht dabei in Zusammenhang mit dem Alter gefragt.

```
3.    Der ca. 70-jährige Patient leidet an...
(A)   Knochenkrebs
(B)   Herzversagen
(C)   Herzinfarkt
(D)   Allergie
(E)   Karies
```

In diesem Beispiel gibt es zwei weibliche und nur einen, den gesuchten, männlichen Patien-ten in der Gruppe der 70-jährigen.

ALTER

Bei Fragen nach dem Alter fällt bei den Antwortmöglichkeiten A bis E in der Reproduktions-phase auf, dass sie in Reihenfolge und Alter den Altersgruppen in der Einprägephase ent-sprechen. Das bedeutet, dass Du Dir keinerlei Ziffern und Zahlen merken musst, da die korrekten Zahlen bei den Antwortmöglichkeiten aufgelistet sind.

2.   Die Patientin mit der Rückgratverletzung ist…

(A) ca. 18 Jahre
(B) ca. 22 Jahre
(C) ca. 35 Jahre
(D) ca. 50 Jahre
(E) ca. 70 Jahre

Es reicht also völlig, Dir die Reihenfolge der Gruppen zu merken bzw. die Zugehörigkeit der Patienten zu ihrer Gruppe. Um Dir Reihenfolgen zu merken, gibt es viele Möglichkeiten. Eine einfache Technik ist die Loci-Methode (lat. locus = Ort, Raum). Für diese Aufgabe genügt es, wenn Du Dir fünf Räume (weil es fünf Altersgruppen gibt) vorstellst. Die Räume sollten Dir gut vertraut sein (z. B. Dein eigenes Zuhause) und die Reihenfolge der Räume sollte stets unverändert bleiben.

Sobald Du Dich auf fünf Räume festgelegt hast, kann es losgehen: Nun legst Du die Pati-enten-Bilder in Gedanken im jeweiligen Raum ab. Also die Patienten aus der 1. Gruppe in den 1. Raum, alle Patienten aus der 2. Gruppe in den 2. Raum, und so weiter. Angenommen es wird nach einem Patienten gefragt, den Du gedanklich im 3. Raum abgelegt hast, so ent-spricht das der 3. Altersgruppe und somit der 3. Antwortmöglichkeit, also Antwort C.

Falls aber das Alter in der Frage selbst auftaucht, musst Du bei einer anderen Frage, bei der das Alter aufgelistet ist, nachschauen. Dann weißt Du welches Alter zu welcher Gruppe ge-hört und in welchem der Räume der Patient zu finden ist.

ZUSAMMENFASSUNG

* Jeder Patient wird also als Merkbild aus vier Objekten (Name, Beruf, Charaktereigenschaft und Diagnose) aufgebaut, mit oder ohne weiblicher Person.
* Anschließend wird der Patient in dem zugehörigen virtuellen Raum abgelegt.
* Wiederhole nach den drei Patienten eines Raumes die bereits memorierten Merkbilder und verinnerliche die Bilder im Kontext des zugehörigen Raumes.
* Beginne mit der nächsten Patientengruppe und leg diese im nächsten Raum ab.

 TIPPS

* **MUT ZUR LÜCKE**
  Es ist völlig ausreichend nur vierzehn der fünfzehn Patienten auswendig zu lernen. Wird nach dem Patienten gefragt, den Du weggelassen hast, kannst Du die Frage mit Hilfe des **Ausschlussverfahrens** lösen. Da in den Antwortmöglichkeiten nur Fakten vorkommen, die auch in der Einprägephase vorkamen, ist die gesuchte Antwort diejenige, die Du nicht zuordnen kannst.

* **DÉJÀ-VU**
  Auch in diesem Untertest gilt der Leitspruch: **Repetitio est mater studiorum**. Du solltest also nach dem Lernen einer Gruppe diese erst wiederholen, bevor Du zur nächsten Gruppe voran schreitest.

* **DIASHOW**
  Für häufig verwendete Charaktereigenschaften und Berufe kannst Du Dir eine Liste mit festgelegten Bildern anlegen. So kannst Du Dir Zeit beim Erstellen der Bilder im Untertest sparen.

3. TRAININGSPENSUM UND –ANLEITUNG

Für Figuren und Fakten gilt im Prinzip das Gleiche Trainingsprogramm. Als erstes solltest Du Dich mit der Technik vertraut machen. Bis Du die Technik wirklich verstanden hast und auch richtig anwenden kannst, brauchst Du im Schnitt eine Woche. Die Strategie ist für Ungeübte sehr zeitaufwendig, daher sollte das Ganze zuerst ohne Zeitdruck geschehen. Bald wirst Du merken, dass Du bei jedem Versuch schneller und effektiver wirst.

Sobald Du Dich dann mit dem Umgang und den einzelnen Schritten der Techniken sicher fühlst, musst Du sie unter Zeitdruck anwenden. Du kannst Dir aber anfangs mehr Zeit als vorgesehen geben. Dies ist für Ungeübte immer noch sehr schwer. Ein gutes Zeitfenster für Anfänger sind zehn Minuten für die Einprägephase. In der Reproduktionsphase gibt es meist keine Zeitprobleme, Du kannst Dich natürlich trotzdem auch hier langsam an den vorgesehenen Zeitrahmen herantasten.

Sobald Du Dich bei zehn Minuten sicher fühlst, solltest Du Dich steigern und Dir nur noch neun Minuten für die Einprägephase Zeit geben. Nach diesem Schema solltest Du Dich immer weiter steigern, Dir immer eine Minute weniger Zeit lassen, bis Du bei den Zielzeiten (6 Minuten für Fakten und 4 Minuten für Figuren) angekommen bist und Dich sicher fühlst. Natürlich solltest Du die einstündige Pause zwischen Einpräge- und Reproduktionsphase einhalten und z. B. einen anderen Untertest üben.

Wichtig ist, dass Du möglichst konstant trainierst, d. h. nicht mehr als jeweils eine Übung pro Tag und auch nicht weniger als vier Übungen pro Woche. Mit einem geringen Zeitaufwand von oft weniger als einer halben Stunde pro Übungstag, kannst Du bei diesen beiden Merkfähigkeitstests schon herausragende Verbesserungen erreichen.

 **AKTUELL**

- **FAKTOTUM**
  Auch beim Fakten lernen wurde das Niveau zuletzt gesteigert und man musste zum Alleskönner mutieren. Deshalb haben auch wir an der Stellschraube gespielt und das Level unserer Übungsaufgaben entsprechend justiert. In den Simulationen 21 bis 28 haben wir die folgenden Schwierigkeiten eingefügt, die auch im TMS zuletzt abgefragt wurden:

  * Ausländisch klingende Namen
  * Charaktereigenschaften kommen mehrfach in einem Test vor
  * Als Diagnosen werden Krankheiten benutzt, für die man nicht gleich ein Bild vor Augen hat

4. HILFE-CHAT

Du hast noch Fragen zu den Übungsaufgaben, eine Korrektur zu melden oder einen Verbesserungsvorschlag? Na dann, schieß los! Über unseren Hilfe-Chat stehen wir Dir immer zur Verfügung. Folge einfach dem nebenstehenden QR-Link und poste dort Deine Frage. Wir nehmen uns Deinem Anliegen an, und werden darauf schnell antworten.

5. NEUIGKEITEN ZUM TMS

Obwohl es beim Aufbau des TMS in den letzten Jahren keine größeren Umstrukturierungen gab, sind doch immer wieder kleine Neuerungen und Anpassungen erfolgt. Wir versuchen diese Aktualisierungen natürlich stets in unseren Büchern abzubilden, doch leider ist das aufgrund der Kurzfristigkeit der Informationen nicht immer möglich. Deswegen posten wir für Dich in unserer MedGurus Community alle Neuigkeiten zum TMS und EMS. Dadurch gibt es für Dich mit Sicherheit keine fiesen Überraschungen am Testtag. Einfach dem nebenstehenden QR-Link folgen und mal reinschnuppern.

6. UNI RANKING – DEINE STUDIENPLATZCHANCE

Leider ist es inzwischen nicht mehr ausreichend ein gutes TMS Ergebnis zu erzielen, um einen Medizinstudienplatz zu erhalten. Man muss sich auch an der richtigen Universität damit bewerben. Bei falscher Ortspräferenz ist es, selbst mit guten Voraussetzungen, möglich keinen Studienplatz zu erhalten. Eine gewissenhafte, selbstständige Berechnung der Studienplatzchancen an den Universitäten dauert allerdings tagelang, da die vielen verschiedenen Auswahlkriterien das Auswahlverfahren der Hochschulen unübersichtlich und komplex machen.

Deshalb haben wir für Dich das Uni Ranking erstellt. Es hilft Dir Dich in diesem Dschungel zurechtzufinden und erstellt Dir Deine ganz individuelle Chancenanalyse. Nach Eingabe Deiner Daten erhältst Du von uns eine detaillierte Auswertung an welchen Universitäten Du die besten Chancen auf einen Medizinstudienplatz hast. Ganz einfach, schnell und unkompliziert. Folge einfach dem nebenstehenden QR-Link und berechne jetzt Deine Chance auf einen Medizinstudienplatz in Deutschland.

ÜBUNGSAUFGABEN

—

EINPRÄGEPHASE

1.	SIMULATION 1	27/29	15.	SIMULATION 15	56/57
2.	SIMULATION 2	30/31	16.	SIMULATION 16	58/59
3.	SIMULATION 3	32/33	17.	SIMULATION 17	60/61
4.	SIMULATION 4	34/35	18.	SIMULATION 18	62/63
5.	SIMULATION 5	36/37	19.	SIMULATION 19	64/65
6.	SIMULATION 6	38/39	20.	SIMULATION 20	66/67
7.	SIMULATION 7	40/41	21.	SIMULATION 21	68/69
8.	SIMULATION 8	42/43	22.	SIMULATION 22	70/71
9.	SIMULATION 9	44/45	23.	SIMULATION 23	72/73
10.	SIMULATION 10	46/47	24.	SIMULATION 24	74/75
11.	SIMULATION 11	48/49	25.	SIMULATION 25	76/77
12.	SIMULATION 12	50/51	26.	SIMULATION 26	78/79
13.	SIMULATION 13	52/53	27.	SIMULATION 27	80/81
14.	SIMULATION 14	54/55	28.	SIMULATION 28	82/83

ÜBUNGSAUFGABEN – EINPRÄGEPHASE

1. FIGUREN LERNEN

Dieser Test prüft, wie gut Du Dir Einzelheiten von Gegenständen einprägen und merken kannst. Im TMS/EMS bekommst Du für diese Aufgabe **4 Minuten Zeit**. Zum Üben solltest Du Dir zunächst mehr Zeit geben, um Dich nach und nach zu steigern.

Es werden Dir **20 Figuren** vorgegeben; ein Teil jeder Figur ist geschwärzt.

Beispiel Einprägephase

Ihre Aufgabe ist es sich die Figuren, einschließlich der Lage der geschwärzten Flächen, so einzuprägen, dass Sie später angeben können, welches Teilstück der Figuren geschwärzt war. Die Reihenfolge in der die Figuren abgefragt werden entspricht nicht der Reihenfolge während der Einprägephase.

Beispiel Reproduktionsphase

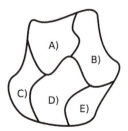

In diesem Fall wäre D die korrekte Lösung.

1. SIMULATION 1 – FIGUREN LERNEN

Lernzeit: 10 Minuten

   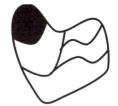

   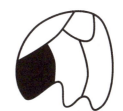

FAKTEN LERNEN

Der folgende Untertest soll prüfen, wie gut Du Dir Fakten einprägen und merken kannst. Im TMS/EMS bekommst Du für diese Aufgabe **6 Minuten Zeit**. Zum Üben solltest Du Dir zunächst mehr Zeit geben, um Dich nach und nach zu steigern.

Es werden Dir **15 Patienten** vorgestellt. Du erfährst jeweils den Namen, die Altersgruppe, Beruf und Geschlecht, ein weiteres Beschreibungsmerkmal (z. B. Familienstand) sowie die Diagnose.

Beispiel Einprägephase

```
Link:          ca. 20 Jahre,    Pizzabäcker, verärgert – Gipswechsel
```

Deine Aufgabe ist es Dir die Informationen über jede Person so einzuprägen, dass Du später Fragen nach Details beantworten kannst.

Beispiel Reproduktionsphase

```
1.  Der Patient mit dem Gipswechsel ist von Beruf …
(A) Staatsanwalt
(B) Lehrer
(C) Pizzabäcker
(D) Manager
(E) Tänzer
```

Die richtige Antwort wäre C.

SIMULATION 1 – FAKTEN LERNEN

Lernzeit: 10 Minuten

Baum:	ca. 18 Jahre,	Zahnarzt, ledig – Karies
Strauch:	ca. 18 Jahre,	Arzthelferin, nervös – Mundgeruch
Waldner:	ca. 18 Jahre,	Kosmetikerin, überwiesen – Heiserkeit
Schwarzer:	ca. 22 Jahre,	Mechaniker, alleinerziehend – Hautausschlag
Brauner:	ca. 22 Jahre,	Lkw-Fahrerin, depressiv – Oberschenkelbruch
Dünkel:	ca. 22 Jahre,	Rennfahrer, verheiratet – Bandscheibenschäden
Metzger:	ca. 35 Jahre,	Fußballtrainer, ängstlich – Mittelohrentzündung
Backner:	ca. 35 Jahre,	Radsport-Profi, misstrauisch – Allergie
Kasner:	ca. 35 Jahre,	Masseurin, Notfall – Rückgratverletzung
Vogel:	ca. 50 Jahre,	Schauspieler, wütend – Hodenkrebs
Bleibtreu:	ca. 50 Jahre,	Kameramann, ungestüm – Lungencarzinom
Katterfeldt	ca. 50 Jahre,	Hostess, Ambulanz – Nasenbluten
König:	ca. 70 Jahre,	technische Zeichnerin, pensioniert – Knochenkrebs
Kayser:	ca. 70 Jahre,	Statiker, kontaktarm – Herzversagen
Voigt:	ca. 70 Jahre,	Feinmechanikerin, stupide – Herzinfarkt

UNTERSCHIEDE ZU DEN ORIGINALAUFGABEN

In diesem Buch werden die Aufgaben sowohl in der Einprägephase als auch in der Reproduktionsphase kompakt auf zwei Seiten dargestellt. Wir haben diese Abweichung zu den Originalaufgaben aus folgenden Gründen bewusst gewählt:

* Für die Lernenden macht es keinen Unterschied im Lerneffekt.
* Die Bearbeitung wird erleichtert, da man sich unnötiges hin- und herblättern spart.
* Günstigere Produktion; die Ersparnisse werden direkt an Euch weitergegeben.
* Weniger Seiten = Weniger Papier wird verbraucht #safe mother nature!

ÜBUNGSAUFGABEN – EINPRÄGEPHASE · SIMULATION 1

2. SIMULATION 2 – FIGUREN LERNEN

Lernzeit: 10 Minuten

SIMULATION 2 – FAKTEN LERNEN

Lernzeit: 10 Minuten

Boxer:	ca. 22 Jahre,	Praktikantin, wütend – Herzrasen
Läufer:	ca. 22 Jahre,	Sekretärin, schreckhaft – Synkopen
Kicker:	ca. 22 Jahre,	Café-Besitzer, sauer – Radiusbruch
Lächner:	ca. 25 Jahre,	Tierärztin, gereizt – Polytrauma
Ernsd:	ca. 25 Jahre,	Zoowärter, Tagesklinik – Tuberkulose
Freudig:	ca. 25 Jahre,	Tierzüchter, privat versichert – Reizhusten
Martin:	ca. 35 Jahre,	Wachmann, selbstsicher – Unterschenkelbruch
Peter:	ca. 35 Jahre,	Berufssoldatin, schüchtern – Herzrhythmusstörungen
Hermann:	ca. 35 Jahre,	Jäger, Kassenpatient – Asthma
Grüner:	ca. 45 Jahre,	Maler, sprunghaft – Lungenentzündung
Blauer:	ca. 45 Jahre,	Galeristin, aufgeregt – Kopfschmerzen
Weiß:	ca. 45 Jahre,	Museumswärter, aggressiv – Nasenbluten
Hausner:	ca. 65 Jahre,	Managerin, betrunken – Darmkrebs
Schlos:	ca. 65 Jahre,	Politiker, verwirrt – Wahnvorstellungen
Hofer:	ca. 65 Jahre,	Banker, lustig – Prostatakrebs

3. SIMULATION 3 – FIGUREN LERNEN

Lernzeit: 10 Minuten

   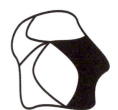

  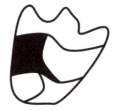 

SIMULATION 3 – FAKTEN LERNEN

Lernzeit: 10 Minuten

```
Link:        ca. 20 Jahre,   Pizzabäcker, verärgert - Gipswechsel
Rechter:     ca. 20 Jahre,   Eisverkäuferin, amüsiert - Schwindel
Gerad:       ca. 20 Jahre,   Gondolieri, verrückt - Migräne


Graf:        ca. 25 Jahre,   Straßenmusikantin, witzig - Spannungskopfschmerz
Voigt:       ca. 25 Jahre,   Jongleur, schmerzfrei - Verbandswechsel
Kayser:      ca. 25 Jahre,   Bettler, nüchtern - Tinnitus


Füssner:     ca. 34 Jahre,   Rechtsanwältin, verheiratet - Polypen
Händli:      ca. 34 Jahre,   Richterin, geschieden - Dünndarmkrebs
Beinig:      ca. 34 Jahre,   Staatsanwalt, unzufrieden - Magenschmerzen


Schmidt:     ca. 44 Jahre,   Zauberer, psychotisch - Demenz
Mustermann:  ca. 44 Jahre,   Dompteur, stabil - Schürfwunde
Maier:       ca. 44 Jahre,   Tänzerin, unterhaltsam - Brustkrebs


Hitzig:      ca. 67 Jahre,   Manager, übergewichtig - Magenverkleinerung
Feucht:      ca. 67 Jahre,   Politikerin, aufdringlich - Brust-OP
Kühlig:      ca. 67 Jahre,   Banker, antriebslos - Burnout-Syndrom
```

4. SIMULATION 4 – FIGUREN LERNEN

Lernzeit: 9 Minuten

   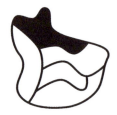

   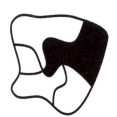

SIMULATION 4 – FAKTEN LERNEN

Lernzeit: 9 Minuten

Krone:	ca. 22 Jahre,	Köchin, abergläubisch – Nikotinabhängigkeit
Mantel:	ca. 22 Jahre,	Bäcker, ideenreich – Alkoholiker
Thronne:	ca. 22 Jahre,	Barkeeperin, ichbezogen – Beckenbruch
Heilig:	ca. 35 Jahre,	Landwirt, einseitig – Rückenschmerzen
Selig:	ca. 35 Jahre,	Forstwirtin, quirlig – Reizdarm
Fromm:	ca. 35 Jahre,	Weinbauer, ehrenhaft – Magenverstimmung
Apfel:	ca. 45 Jahre,	Galeristin, ehrgeizig – Oberschenkelbruch
Birner:	ca. 45 Jahre,	Journalist, intellektuell – Lungenkrebs
Pflaum:	ca. 45 Jahre,	Kolumnistin, ironisch – Osteoporose
Violet:	ca. 50 Jahre,	Lackierer, naiv – Hautausschlag
Grüne:	ca. 50 Jahre,	Mechatronikerin, selbstbewusst – Asthma
Blauer:	ca. 50 Jahre,	Schiffbauer, reizbar – Bluthochdruck
Wintermantl:	ca. 65 Jahre,	Botaniker, selbstsüchtig – Schlaganfall
Kleidig:	ca. 65 Jahre,	Archäologin, einsichtig – Adipositas
Hoser:	ca. 65 Jahre,	Hirte, kämpferisch – Spondylose

5. SIMULATION 5 – FIGUREN LERNEN

Lernzeit: 9 Minuten

SIMULATION 5 – FAKTEN LERNEN

Lernzeit: 9 Minuten

Müller:	ca. 23 Jahre,	Fahrlehrerin, verbittert – Rückenschmerzen
Schmidt:	ca. 23 Jahre,	Golflehrer, verschwiegen – Vorhautverengung
Becker:	ca. 23 Jahre,	Tennistrainer, aufbrausend – Depressive Episode

Krause:	ca. 35 Jahre,	Biochemiker, ruhig – Bandscheibenvorfall
Glat:	ca. 35 Jahre,	Metallgestalterin, aufgeregt – Handgelenksschmerzen
Wellnig:	ca. 35 Jahre,	Weberin, durcheinander – Blasenentzündung

Krüger:	ca. 45 Jahre,	App-Entwicklerin, schlau – akute Bronchitis
Glass:	ca. 45 Jahre,	Game-Designer, übergewichtig – Diabetes
Bechner:	ca. 45 Jahre,	Informatiker, müde – Durchblutungsstörung

Peter:	ca. 55 Jahre,	Artistin, wütend – Bänderriss
Friedrich:	ca. 55 Jahre,	Tänzer, ängstlich – Grippe
Otto:	ca. 55 Jahre,	Choreograf, Intensivstation – Blasenkrebs

Stein:	ca. 70 Jahre,	Zoologin, pensioniert – Hautkrebs
Kiesel:	ca. 70 Jahre,	Biobauer, misstrauisch – Wundbrand
Ziegel:	ca. 70 Jahre,	Metzger, Ambulanz – Schwindelanfälle

6. SIMULATION 6 – FIGUREN LERNEN

Lernzeit: 9 Minuten

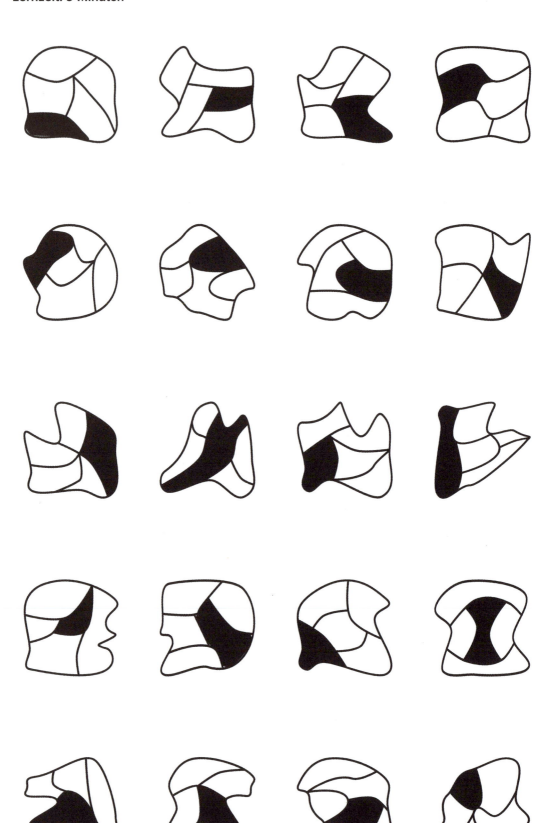

SIMULATION 6 – FAKTEN LERNEN

Lernzeit: 9 Minuten

Hut:	ca. 20 Jahre,	Tierarzt, nervös – Fieber
Helmer:	ca. 20 Jahre,	Reitlehrerin, selbstbewusst – Migräne
Mutz:	ca. 20 Jahre,	Viehhändler, aufgeregt – Bluthochdruck
Koch:	ca. 30 Jahre,	Krankenschwester, redelustig – Schlafstörungen
Kellner:	ca. 30 Jahre,	Assistenzarzt, elegant – Hypotonie
Gasteiger:	ca. 30 Jahre,	Sanitäter, altmodisch – Hämorrhoiden
Adolph:	ca. 40 Jahre,	Jurist, redegewandt – Bauchschmerzen
Himmler:	ca. 40 Jahre,	Sekretärin, hübsch – Durchfall
Goebble:	ca. 40 Jahre,	Richterin, überzeugend – Hautausschlag
Schwarz:	ca. 50 Jahre,	Blumenhändlerin, nervös – Allergie
Grüner:	ca. 50 Jahre,	Förster, muskulös – Rückenschmerzen
Blaus:	ca. 50 Jahre,	Gärtner, ausgeglichen – chronische Entzündung
Pfeiffer:	ca. 60 Jahre,	Frührentner, innovativ – Magenulkus
Schnalzer:	ca. 60 Jahre,	Detektiv, geheimnisvoll – Magenkrebs
Küssner:	ca. 60 Jahre,	Beamtin, faul – Verstopfung

7. SIMULATION 7 – FIGUREN LERNEN

Lernzeit: 8 Minuten

SIMULATION 7 – FAKTEN LERNEN

Lernzeit: 9 Minuten

Blaurer:	ca. 22 Jahre,	Gärtner, ledig – Thrombose
Gelbner:	ca. 22 Jahre,	Briefträgerin, mollig – Hautkrebs
Roter:	ca. 22 Jahre,	Pizzabäcker, besserwisserisch – Bluthochdruck
Brot:	ca. 32 Jahre,	Lehrer, altklug – Raucherhusten
Backner:	ca. 32 Jahre,	Professor, Isolationszimmer – Tropeninfektion
Tort:	ca. 32 Jahre,	Studentin, neugierig – Pilzinfektion
Metzger:	ca. 45 Jahre,	Mechanikerin, gelangweilt – Darminfektion
Müller:	ca. 45 Jahre,	Mechatroniker, genervt – Psychose
Schmidt:	ca. 45 Jahre,	Lastwagenfahrer, müde – Sehschwäche
Wolpert:	ca. 55 Jahre,	Kellnerin, mager – Lungenkrebs
Tuchner:	ca. 55 Jahre,	Barmann, durcheinander – Alkoholentzug
Seider:	ca. 55 Jahre,	Koch, übergewichtig – Niereninsuffizienz
Schnell:	ca. 70 Jahre,	Plantagenbesitzer, vital – Platzwunde
Lahm:	ca. 70 Jahre,	Vermieterin, verwitwet – Alzheimer
Breitner:	ca. 70 Jahre,	Bankkaufmann, nicht ansprechbar – Schlaganfall

8. SIMULATION 8 – FIGUREN LERNEN

Lernzeit: 8 Minuten

  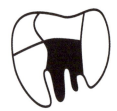 

SIMULATION 8 – FAKTEN LERNEN

Lernzeit: 9 Minuten

Richter:	ca. 22 Jahre,	Altenpflegerin, verbittert – Asthma bronchiale
Henker:	ca. 22 Jahre,	Diätologe, kindlich – Neurodermitis
Galger:	ca. 22 Jahre,	Musiktherapeut, ruhig – Haarausfall
Wolf:	ca. 33 Jahre,	Botaniker, verbissen – Knieschmerzen
Schaf:	ca. 33 Jahre,	Landschaftsgärtnerin, ängstlich – Nasenbeinbruch
Fuchs:	ca. 33 Jahre,	Winzer, betrunken – Krampfadern
Lorenz:	ca. 45 Jahre,	Schilehrerin, gemütlich – Harnsteine
Simon:	ca. 45 Jahre,	Liftwart, aufgewühlt – Gallensteine
Ludwig:	ca. 45 Jahre,	Bergführer, sportlich – Leberzirrhose
Winter:	ca. 55 Jahre,	Atomphysiker, intelligent – Gehirntumor
Sommer:	ca. 55 Jahre,	Patentanwältin, mollig – Zungenkrebs
Herbst:	ca. 55 Jahre,	Ingenieur, gutaussehend – Nasenbluten
Schwab:	ca. 65 Jahre,	Saunawart, frech – bakterielle Entzündung
Böhm:	ca. 65 Jahre,	Fußpflegerin, traurig – viraler Infekt
Frank:	ca. 65 Jahre,	Masseurin, Notfall – Trümmerbruch

9. SIMULATION 9 – FIGUREN LERNEN

Lernzeit: 8 Minuten

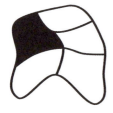   

SIMULATION 9 – FAKTEN LERNEN

Lernzeit: 9 Minuten

```
Gelber:      ca. 18 Jahre,    Kulturtechniker, sachlich - Bänderriss
Grüner:      ca. 18 Jahre,    Verkehrsplaner, kaltschnäuzig - Platzwunde
Blau:        ca. 18 Jahre,    Raumplanerin, schlau - Verbrennung


Bauer:       ca. 25 Jahre,    Außendienstler, kinderlieb - Schürfwunde
Schäfer:     ca. 25 Jahre,    Verkäuferin, scheu - Prellung
Hirte:       ca. 25 Jahre,    Beraterin, fies - Durchfallerkrankung


Wagner:      ca. 30 Jahre,    Kunststofftechnikerin,
                              kleingeistig - Viruserkrankung
Mozart:      ca. 30 Jahre,    Chemielabortechniker, kindisch - Übelkeit
Schubert:    ca. 30 Jahre,    Verbundstofftechniker, klug - Alkoholabusus


Neumann:     ca. 40 Jahre,    Profisportler, faul - Impotenz
Lange:       ca. 40 Jahre,    Sportbetreuerin, abgestumpft - Inkontinenz
Hartmann:    ca. 40 Jahre,    Sportarzt, fleißig - Gehörsturz


König:       ca. 70 Jahre,    Amtsgehilfin, blind - Rippenbruch
Kayser:      ca. 70 Jahre,    Jurist, schwerhörig - Darminfekt
Adel:        ca. 70 Jahre,    Rechtswissenschaftler, gemächlich - Diabetes-Fuß
```

10. SIMULATION 10 – FIGUREN LERNEN

Lernzeit: 7 Minuten

SIMULATION 10 – FAKTEN LERNEN

Lernzeit: 8 Minuten

Zimmermann:	ca. 25 Jahre,	Bäckerin, sanft – Schielen
Raumer:	ca. 25 Jahre,	Buchbinder, angenehm – Rückenschmerzen
Sallig:	ca. 25 Jahre,	Fassbinderin, feminin – Adipositas
Berger:	ca. 30 Jahre,	Möbelmonteur, angeberisch – Fremdkörper im Auge
Felsig:	ca. 30 Jahre,	Restauratorin, verrückt – Akne
Stein:	ca. 30 Jahre,	Holzdesigner, väterlich – Kniearthrose
Sauer:	ca. 45 Jahre,	Vergolder, verklemmt – Bauchschmerzen
Süß:	ca. 45 Jahre,	Lackierer, sanftmütig – Sehschwäche
Salzig:	ca. 45 Jahre,	Tätowiererin, freundlich – Hämorrhoiden
Schreiber:	ca. 65 Jahre,	Apothekerin, kindlich – Migräne
Drucker:	ca. 65 Jahre,	Ergotherapeut, schweigsam – Phobische Störung
Stifter:	ca. 65 Jahre,	Facharzt, schöngeistig – Schulterläsion
Dietrich:	ca. 80 Jahre,	Filmaufnahmeleiter, verschroben – Entzündung des Auges
Schlüssel:	ca. 80 Jahre,	Kostümbildnerin, schreckhaft – Osteoporose
Schloß:	ca. 80 Jahre,	Komponist, vergesslich – Fraktur des Unterarmes

11. SIMULATION 11 – FIGUREN LERNEN

Lernzeit: 7 Minuten

  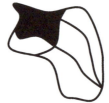 

SIMULATION 11 – FAKTEN LERNEN

Lernzeit: 8 Minuten

Vogel:	ca. 20 Jahre,	Intendantin, abergläubisch - Mandelentzündung
Mauser:	ca. 20 Jahre,	Regisseur, feindselig - Lungenentzündung
Ross:	ca. 20 Jahre,	Schauspieler, behaart - Husten
Gelb:	ca. 25 Jahre,	Zoowärter, gewieft - Epilepsie
Roser:	ca. 25 Jahre,	Dompteur, fordernd - Kniescheibenbruch
Grünne:	ca. 25 Jahre,	Tierärztin, flexibel - Wirbelgleiten
Wollpert:	ca. 30 Jahre,	Automechaniker, großspurig - Schwindel und Taumel
Fell:	ca. 30 Jahre,	Rennfahrerin, freundlich - Schizophrenie
Seider:	ca. 30 Jahre,	Streckenwart, frustriert - Gelenkentzündung
Lippe:	ca. 40 Jahre,	Schulbusfahrerin, abgedreht - Blasenentzündung
Hahr:	ca. 40 Jahre,	LKW-Fahrer, exzentrisch - Herzinfarkt
Fuß:	ca. 40 Jahre,	Chauffeur, Notfall - Schädelbasisbruch
Thomas:	ca. 66 Jahre,	Pfarrer, auf Warteliste - Lebertransplantation
Jürgens:	ca. 66 Jahre,	Orgelspielerin, folgsam - Bandscheibenschäden
Petermann:	ca. 66 Jahre,	Kardinal, sanftmütig - vaskuläre Demenz

12. SIMULATION 12 – FIGUREN LERNEN

Lernzeit: 7 Minuten

SIMULATION 12 – FAKTEN LERNEN

Lernzeit: 8 Minuten

Sailer:	ca. 21 Jahre,	Tierpflegerin, verständnislos – Pilzinfektion
Bänder:	ca. 21 Jahre,	Milchbauer, verantwortungslos – Kopfschmerzen
Schnur:	ca. 21 Jahre,	Hundedresseur, rebellisch – Fieber
Kurtz:	ca. 35 Jahre,	Erzieherin, redelustig – Übelkeit
Lang:	ca. 35 Jahre,	Grundschullehrer, klug – Ausschlag
Wehniger:	ca. 35 Jahre,	Hausfrau, religiös – Erkältungsschnupfen
Pohl:	ca. 45 Jahre,	Marktschreier, kindisch – Schlafstörung
Finne:	ca. 45 Jahre,	Obsthändler, faul – Angststörung
Deutsch:	ca. 45 Jahre,	Bäuerin, abwertend – Rundrücken
Busch:	ca. 55 Jahre,	Bergführer, sportlich – Gelenksentzündungen
Baum:	ca. 55 Jahre,	Hundestaffelführer, aggressiv – Parkinson-Syndrom
Grasser:	ca. 55 Jahre,	Hubschrauberpilotin, ängstlich – Herzinfarkt
Braun:	ca. 67 Jahre,	Pizzabäcker, konservativ – Persönlichkeitsstörung
Weiß:	ca. 67 Jahre,	Lebensmittelkontrolleur, still – Lungenembolie
Roth:	ca. 67 Jahre,	Kellnerin, lebensfroh – Lungentumor

13. SIMULATION 13 – FIGUREN LERNEN

Lernzeit: 6 Minuten

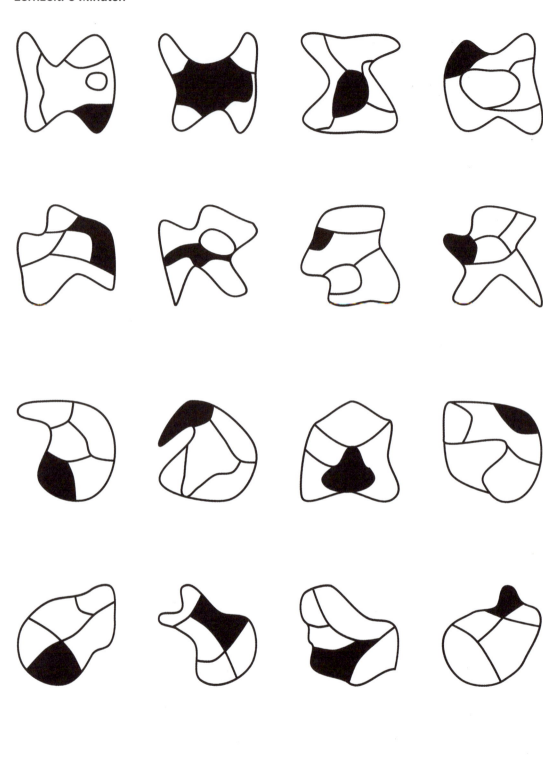

SIMULATION 13 – FAKTEN LERNEN

Lernzeit: 8 Minuten

Pfeffer:	ca. 23 Jahre,	Bademeister, ahnungslos – Warzen
Salzer:	ca. 23 Jahre,	Zeitungsjunge, reizbar – Akne
Süß:	ca. 23 Jahre,	Kellnerin, verklemmt – Mandelentzündung
Groß:	ca. 33 Jahre,	Matrose, schüchtern – Hühneraugen
Klein:	ca. 33 Jahre,	Kapitän, lebensfroh – Haarausfall
Hoch:	ca. 33 Jahre,	Kajütenköchin, launisch – Angina pectoris
Schnee:	ca. 43 Jahre,	Architektin, geizig – Hypotonie
Flocke:	ca. 43 Jahre,	Statiker, ausgelassen – Husten
Schauer:	ca. 43 Jahre,	Maurer, gelassen – Herzrhythmusstörung
Gast:	ca. 65 Jahre,	Spengler, bedürfnislos – Augenentzündung
Zimmer:	ca. 65 Jahre,	Dachdeckerin, gewissenhaft – Ohrentzündung
Urlaub:	ca. 65 Jahre,	Kranführer, maßlos – Herzinfarkt
Schröder:	ca. 70 Jahre,	Journalist, zufrieden – Alzheimer-Krankheit
Kohl:	ca. 70 Jahre,	Künstler, vulgär – Hirninfarkt
Merkel:	ca. 70 Jahre,	Galeristin, sarkastisch – Herzversagen

14. SIMULATION 14 – FIGUREN LERNEN

Lernzeit: 6 Minuten

SIMULATION 14 – FAKTEN LERNEN

Lernzeit: 7 Minuten

Handschuh:	ca. 25 Jahre,	Ernährungsberater, wagemutig – Mundgeruch
Helmer:	ca. 25 Jahre,	Küchengehilfe, garstig – Tuberkulose
Hoser:	ca. 25 Jahre,	Diätologin, aufbrausend – Lungenentzündung
Winkler:	ca. 30 Jahre,	Drucker, gefühlskalt – Polypen
Ecke:	ca. 30 Jahre,	Papierhersteller, herrisch – Heroinintoxikation
Nische:	ca. 30 Jahre,	Copyshopbesitzerin, willenlos – Bewusstseinsverlust
Freud:	ca. 37 Jahre,	Schriftstellerin, zartbesaitet – Hepatitis
Glück:	ca. 37 Jahre,	Verlagslektorin, bedacht – Gallensteine
Frohsinn:	ca. 37 Jahre,	Dolmetscher, locker – Leberzirrhose
Vogel:	ca. 45 Jahre,	Bildhauer, zäh – Kammerflattern
Schaf:	ca. 45 Jahre,	Dekorateurin, skeptisch – Dehydration
Wolf:	ca. 45 Jahre,	Grafiker, smart – Lebertumor
Brücker:	ca. 65 Jahre,	Devisenhändler, gespannt – akutes Lungenversagen
Flüssner:	ca. 65 Jahre,	Einkäuferin, hilfsbereit – Vorhofflimmern
Bächling:	ca. 65 Jahre,	Schatzmeister, boshaft – Tumor der Gallenblase

15. SIMULATION 15 – FIGUREN LERNEN

Lernzeit: 6 Minuten

  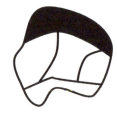 

 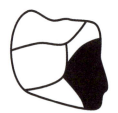  

SIMULATION 15 – FAKTEN LERNEN

Lernzeit: 7 Minuten

Stahl:	ca. 25 Jahre,	Maschinenführer, religiös - Alkoholvergiftung
Krupp:	ca. 25 Jahre,	Ingenieur, sachlich - Schädel-Hirn-Trauma
Eisner:	ca. 25 Jahre,	Schichtleiterin, vegetarisch - unterernährt
Graf:	ca. 35 Jahre,	Goldschmied, scheinheilig - Pusteln
Adel:	ca. 35 Jahre,	Juwelier, zuversichtlich - Hodentumor
Herzog:	ca. 35 Jahre,	Minenarbeiterin, sportlich - Prellung
Wiener:	ca. 45 Jahre,	Restaurator, kommunikativ - Nasenbluten
Bozner:	ca. 45 Jahre,	Schirmmacherin, empfindlich - Unterkieferbruch
Tölz:	ca. 45 Jahre,	Tischlerin, geschieden - Muskelfaserriss
Waldmann:	ca. 60 Jahre,	Zeichner, Aufwachstation - Blinddarm-OP
Rathmann:	ca. 60 Jahre,	Tätowiererin, engstirnig - Gicht
Herrmann:	ca. 60 Jahre,	Architekt, entschlossen - Sehschwäche
Müller:	ca. 65 Jahre,	Verkäufer, eitel - Nasenbeinbruch
Schmied:	ca. 65 Jahre,	Firmenbesitzer, Endstadium - Lungen-Metastasen
Bauer:	ca. 65 Jahre,	Arzt, humorlos - Grippe

16. SIMULATION 16 – FIGUREN LERNEN

Lernzeit: 5 Minuten

SIMULATION 16 – FAKTEN LERNEN

Lernzeit: 7 Minuten

Käfer:	ca. 26 Jahre,	Polizistin, unausgeglichen – Schwindel
Fuchs:	ca. 26 Jahre,	Feuerwehrmann, furchtlos – Hirnhautentzündung
Vogel:	ca. 26 Jahre,	Straßenkehrer, argwöhnisch – formale Denkstörung
Kreuzer:	ca. 36 Jahre,	Optiker, aufbrausend – Hörsturz
Heilig:	ca. 36 Jahre,	Augenärztin, gehorsam – Hautausschlag
Krist:	ca. 36 Jahre,	Blindenführer, frech – Knieschmerzen
Hitzig:	ca. 42 Jahre,	Pilotin, freundlich – Alkoholismus
Kalter:	ca. 42 Jahre,	Busfahrer, Notfall – Koma
Voicht:	ca. 42 Jahre,	Zugführer, glücklich – Wirbelgleiten
Zaar:	ca. 52 Jahre,	Reiseleiter, bedürfnislos – Halswirbelverletzung
Lordt:	ca. 52 Jahre,	Animateur, griesgrämig – Schwerhörigkeit
Herzog:	ca. 52 Jahre,	Touristikfachangestellte, bedrückt – Keuchhusten
Ballack:	ca. 62 Jahre,	Frührentnerin, kumpelhaft – Gedächtnislücken
Wiese:	ca. 62 Jahre,	Beamter, stabil – Schleudertrauma
Torh:	ca. 62 Jahre,	Invalide, kontaktfreudig – AIDS

17. SIMULATION 17 – FIGUREN LERNEN

Lernzeit: 5 Minuten

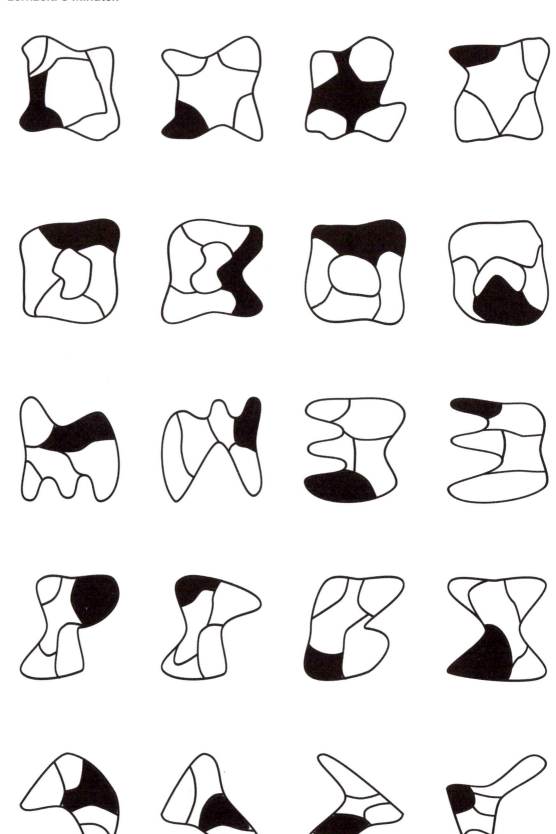

SIMULATION 17 – FAKTEN LERNEN

Lernzeit: 7 Minuten

Ritter:	ca. 29 Jahre,	Küchengehilfe, neidisch – Schlafstörungen
Adel:	ca. 29 Jahre,	Kellnerin, herzlich – Hautausschlag
Ross:	ca. 29 Jahre,	Koch, dankbar – Beckenschmerzen
Fladen:	ca. 32 Jahre,	Hebamme, chaotisch – Mandelentzündung
Semmler:	ca. 32 Jahre,	Krankenschwester, boshaft – Heuschnupfen
Brodt:	ca. 32 Jahre,	Notarzt, nachdenklich – Sodbrennen
Manner:	ca. 52 Jahre,	Biologin, musikalisch – Jodmangel
Weible:	ca. 52 Jahre,	Chemiker, gutgläubig – Allergie
Kindle:	ca. 52 Jahre,	Mathematiker, bestimmend – Migräne
Ohnesorg:	ca. 62 Jahre,	Kaffeeröster, zufrieden – Fettleibigkeit
Fröhle:	ca. 62 Jahre,	Plantagenarbeiterin, stark – Glaukom
Munter:	ca. 62 Jahre,	Händler, motiviert – grauer Star
Metzger:	ca. 72 Jahre,	Mediengestalterin, grimmig – Sehstörung
Fleischer:	ca. 72 Jahre,	Informatikerin, besonnen – Osteoporose
Wurst:	ca. 72 Jahre,	Software-Entwickler, faul – Kopfschmerzen

18. SIMULATION 18 – FIGUREN LERNEN

Lernzeit: 4 Minuten

SIMULATION 18 – FAKTEN LERNEN

Lernzeit: 6 Minuten

Maier:	ca. 22 Jahre,	Kranführer, abgedreht – Bluthochdruck
Juli:	ca. 22 Jahre,	Bauleiterin, feminin – Stoffwechselstörung
Dezember:	ca. 22 Jahre,	Stuckateurin, verbittert – Rückenschmerzen
Schneider:	ca. 30 Jahre,	Eheberaterin, launisch – Brustschmerzen
Weber:	ca. 30 Jahre,	Psychologin, gelassen – Gewebsneubildung
Wolle:	ca. 30 Jahre,	Scheidungsanwalt, leise – akute Bronchitis
Krüger:	ca. 40 Jahre,	Immobilienmakler, seltsam – Impfung
Glasser:	ca. 40 Jahre,	Hausmeister, selbstverliebt – Magenentzündung
Becher:	ca. 40 Jahre,	Vermieterin, zappelig – Krummrücken
Hartmann:	ca. 50 Jahre,	Friseurin, sexy – Fettleibigkeit
Neumann:	ca. 50 Jahre,	Masseur, bescheiden – Zuckerkrank
Hofmann:	ca. 50 Jahre,	Kosmetikerin, ängstlich – Besenreißer
Schmitt:	ca. 60 Jahre,	Bootsbauerin, optimistisch – Blasenkrebs
Schmidt:	ca. 60 Jahre,	Kapitän, höflich – Verwirrtheit
Schmitz:	ca. 60 Jahre,	Matrose, hilfsbereit – Bluterkrankheit

19. SIMULATION 19 – FIGUREN LERNEN

Lernzeit: 4 Minuten

SIMULATION 19 – FAKTEN LERNEN

Lernzeit: 6 Minuten

Treppe:	ca. 19 Jahre,	Model, abgebrüht – akuter Infekt
Leiter:	ca. 19 Jahre,	Bodybuilder, fleißig – Verbrennung
Stiege:	ca. 19 Jahre,	Hostess, verlogen – Herzattacken
Worter:	ca. 29 Jahre,	Floristin, kleinlich – Raucherhusten
Bucher:	ca. 29 Jahre,	Gärtnerin, jähzornig – Thrombose
Hefter:	ca. 29 Jahre,	Biologielaborant, unentschlossen – COPD
Schnell:	ca. 39 Jahre,	Fluglotse, verheiratet – Lungenembolie
Lahm:	ca. 39 Jahre,	Pilotin, schwanger – Krampfadern
Flink:	ca. 39 Jahre,	Stewardess, Single – niederer Blutdruck
Schwarzkopf:	ca. 50 Jahre,	Maurer, unfair – Gicht
Blond:	ca. 50 Jahre,	Fliesenlegerin, ironisch – Gallensteine
Braun:	ca. 50 Jahre,	Dachdecker, ohne Kinder – Depression
Peters:	ca. 60 Jahre,	Winzer, kindlich – Hautausschlag
Günther:	ca. 60 Jahre,	Sommelier, tollpatschig – Venenkrankheit
Lorenz:	ca. 60 Jahre,	Weinverkäuferin, humorlos – Schilddrüsenstörung

20. SIMULATION 20 – FIGUREN LERNEN

Lernzeit: 4 Minuten

SIMULATION 20 – FAKTEN LERNEN

Lernzeit: 6 Minuten

Wolff:	ca. 17 Jahre,	Kurier, originell - Quetschwunde
Fuchs:	ca. 17 Jahre,	Postbote, umtriebig - Kopfverletzung
Dachs:	ca. 17 Jahre,	Päckchenlieferantin, unbekümmert - Mandel-OP
Otto:	ca. 30 Jahre,	Heilpraktikerin, putzig - Vergiftung
Heinrich:	ca. 30 Jahre,	Pharmazeutin, pflichtbewusst - Burnout
Dietrich:	ca. 30 Jahre,	Psychotherapeut, unbeirrbar - Warzen
Schuhmacher:	ca. 42 Jahre,	Fitnesstrainer, ordentlich - Ohrenschmalz
Schubert:	ca. 42 Jahre,	Physiotherapeutin, ungläubig - hormonelle Störung
Schulze:	ca. 42 Jahre,	Orthopäde, gespannt - Schluckbeschwerden
Böhm:	ca. 52 Jahre,	Kosmetikerin, überwiesen - Nasenpolyp
Frank:	ca. 52 Jahre,	Maskenbildner, eitel - Trommelfellriss
Pohl:	ca. 52 Jahre,	Visagistin, Dauerpatientin - Schwangerschaft
Berger:	ca. 72 Jahre,	Schornsteinfeger, Ambulant - Schnittwunde
Bergmann:	ca. 72 Jahre,	Minenarbeiter, humorlos - Leukämie
Stein:	ca. 72 Jahre,	Bohrinselarbeiterin, trotzig - Leukozytose

21. SIMULATION 21 – FIGUREN LERNEN

Lernzeit: 4 Minuten

SIMULATION 21 – FAKTEN LERNEN

Lernzeit: 6 Minuten

Aljinadi:	ca. 18 Jahre,	Schuhverkäufer, Intensivstation - Verbrennungen
Adibalzo:	ca. 18 Jahre,	Schuhputzerin, freundlich - Müdigkeit
Alumi:	ca. 18 Jahre,	Schuster, verklemmt - Husten
Stonzo:	ca. 32 Jahre,	Erzieherin, lustig - Schwangerschaft
Gonzales:	ca. 32 Jahre,	Kinderpflegerin, laut - Impfung
Costa:	ca. 32 Jahre,	Kindheitspädagoge, ehrgeizig - COPD
Alaba:	ca. 42 Jahre,	Model, lieb - Alkoholintoxikation
Müller:	ca. 42 Jahre,	Hostess, unfair - Toxischer Alkoholgebrauch
Neuer:	ca. 42 Jahre,	Bodybuilder, sachlich - Alkoholabusus
Drogba:	ca. 62 Jahre,	Frührentnerin, glücklich - Polypen
Piker:	ca. 62 Jahre,	Beamter, Intensivstation - Mundgeruch
Adiego:	ca. 62 Jahre,	Invalide, Notfall - Grippe
Madago:	ca. 72 Jahre,	Lehrer, frech - Arthritis
Meika:	ca. 72 Jahre,	Rektor, geschieden - Arthrose
Medau:	ca. 72 Jahre,	Studienrätin, sachlich - Gicht

22. SIMULATION 22 – FIGUREN LERNEN

Lernzeit: 4 Minuten

SIMULATION 22 – FAKTEN LERNEN

Lernzeit: 6 Minuten

Pettersson: ca. 20 Jahre,   Kellnerin, gespannt – Augenentzündung
Lundberg: ca. 20 Jahre,   Barkeeper, Ambulanz – Haarausfall
Wallin: ca. 20 Jahre,   Restaurantleiter, boshaft – Hypertensive Krise

Giordano: ca. 35 Jahre,   Polizistin, stabil – Schizophrenie
Romano: ca. 35 Jahre,   Feuerwehrmann, folgsam – Husten
Fontana: ca. 35 Jahre,   Ordnungshüterin, gewieft – Burnout

Rodriguez: ca. 47 Jahre,   Schreiner, frustriert – Arterielle Hypertonie
Fernandez: ca. 47 Jahre,   Malerin, zäh – grüner Star
Perez: ca. 47 Jahre,   Lackierer, folgsam – Hypotonie

Heilig: ca. 60 Jahre,   Anwältin, klug – Lungenembolie
Krist: ca. 60 Jahre,   Richter, aggressiv – Gedächtnislücken
Kreuzer: ca. 60 Jahre,   Staatsanwalt, Ambulanz – grauer Star

Bäumle: ca. 70 Jahre,   Masseurin, ruhig – Alzheimer
Aster: ca. 70 Jahre,   Saunawart, verwitwet – gemischte Demenz
Stammes: ca. 70 Jahre,   Fußpflegerin, mollig – vaskuläre Demenz

23. SIMULATION 23 – FIGUREN LERNEN

Lernzeit: 4 Minuten

SIMULATION 23 – FAKTEN LERNEN

Lernzeit: 6 Minuten

Rot:	ca. 19 Jahre,	Immobilienmaklerin, bestimmend – Karies
Grünne:	ca. 19 Jahre,	Vermieter, misstrauisch – Erkältungsschnupfen
Blauer:	ca. 19 Jahre,	Bauleiter, Ambulanz – Mittelohrentzündung
Freud:	ca. 25 Jahre,	Busfahrer, Dauerpatient – Asthma
Piaget:	ca. 25 Jahre,	Schaffnerin, argwöhnisch – Meningitis
Erikson:	ca. 25 Jahre,	Lokführer, pfiffig – baktierelle Entzündung
König:	ca. 32 Jahre,	Volontärin, facettenreich – Gallensteine
Adel:	ca. 32 Jahre,	Redakteur, tolerant – Schilddrüsenentzündung
Prinz:	ca. 32 Jahre,	Journalistin, zimperlich – Borreliose
Olofsson:	ca. 55 Jahre,	Schweißer, misstrauisch – Asbestose
Sjöberg:	ca. 55 Jahre,	Tischlerin, leichtgläubig – Arthrose
Eklund:	ca. 55 Jahre,	Elektriker, Dauerpatient – akute Bronchitis
Löw:	ca. 67 Jahre,	Analytiker, ökolgisch – Nierensteine
Klinsmann:	ca. 67 Jahre,	Chemielaborant, ängstlich – Lungenfibrose
Völler:	ca. 67 Jahre,	Ingenieurin, gehässig – Lungensarkoidose

24. SIMULATION 24 – FIGUREN LERNEN

Lernzeit: 4 Minuten

SIMULATION 24 – FAKTEN LERNEN

Lernzeit: 6 Minuten

Ivanova:	ca. 17 Jahre,	Receptionistin, überzeugend – Schlafapnoe
Bozanov:	ca. 17 Jahre,	Hausdame, unbeständig – Keuchhusten
Tscheva:	ca. 17 Jahre,	Concierge, eingebildet – Tripper

Stojanova:	ca. 27 Jahre,	Sommelier, gefühlvoll – Leberversagen
Mijalovic:	ca. 27 Jahre,	Barista, verwirrt – Gürtelrose
Bassyiouny:	ca. 27 Jahre,	Weinfachverkäuferin, clever – Leberzirrhose

Wilhelm:	ca. 35 Jahre,	Bilanzbuchhalter, eingebildet – Bänderriss
Franz:	ca. 35 Jahre,	Unternehmensberaterin, scheu – Tuberkulose
Joseph:	ca. 35 Jahre,	Bänker, eitel – Diabetes insipidus

Huter:	ca. 47 Jahre,	Pfleger, eifrig – Lipödem
Mützke:	ca. 47 Jahre,	Krankenschwester, wütend – Beinödeme
Kappe:	ca. 47 Jahre,	Oberarzt, eitel – Diabetes mellitus

Gärtner:	ca. 55 Jahre,	Mechatroniker, genügsam – Adipositas
Beete:	ca. 55 Jahre,	Metallbauerin, eitel – Erkältung
Erden:	ca. 55 Jahre,	Feinwerkmechanikerin, unbeständig – Lymphödem

25. SIMULATION 25 – FIGUREN LERNEN

Lernzeit: 4 Minuten

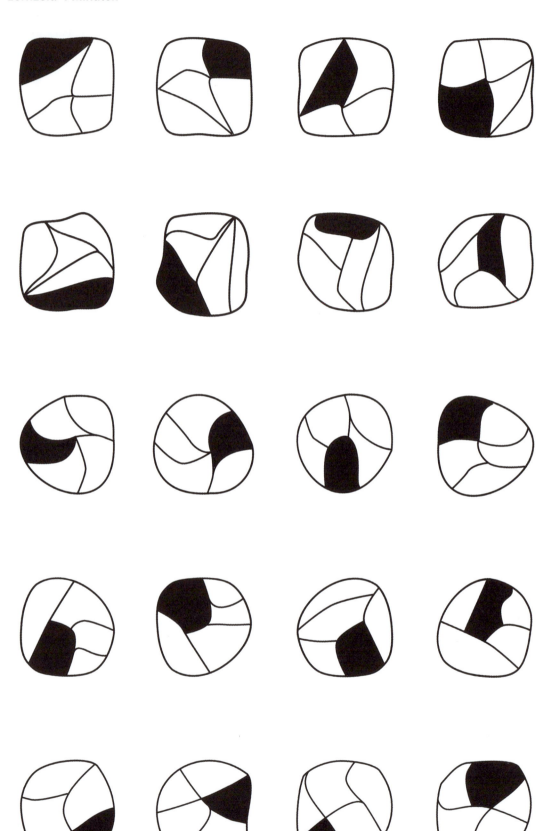

SIMULATION 25 – FAKTEN LERNEN

Lernzeit: 6 Minuten

Singh:	ca. 17 Jahre	Studentin, ausgeglichen – Nasennebenhöhlenentzündung
Kaur:	ca. 17 Jahre	Auszubildender, nervös – Epilepsie
Multani:	ca. 17 Jahre	Arbeitsloser, idealistisch – Muskelschwund
Smirnow:	ca. 28 Jahre	Aerobic-Trainer, dynamisch – Bänderriss
Iwanow:	ca. 28 Jahre	Spinning-Trainerin, ehrgeizig – Knochenkrebs
Popow:	ca. 28 Jahre	Crossfit-Trainer, fair – Gelenk ausgekugelt
Olsson:	ca. 45 Jahre	Architekt, perfektionistisch – Mandelentzündung
Larsson:	ca. 45 Jahre	Statikerin, hinterhältig – Blasenentzündung
Nilsson:	ca. 45 Jahre	Bauleiter, gestresst – Nierenentzündung
Akrehamn:	ca. 57 Jahre	Lehrerin, nervös – Rheuma
Drammen:	ca. 57 Jahre	Pädagoge, genervt – Arthritis
Notodden:	ca. 57 Jahre	Erzieher, vergesslich – Mittelohrentzündung
Johnson:	ca. 72 Jahre	Optikerin, geistig abwesend – Knochenbruch
Carter:	ca. 72 Jahre	Augenarzt, nervös – Blinddarmentzündung
Reagan:	ca. 72 Jahre	Brillenhersteller, liebenswert – Multiple Sklerose

26. SIMULATION 26 – FIGUREN LERNEN

Lernzeit: 4 Minuten

SIMULATION 26 – FAKTEN LERNEN

Lernzeit: 6 Minuten

Bai:	ca. 21 Jahre	DJ, aufgedreht – Heuschnupfen
Bibi:	ca. 21 Jahre	Barmann, eingebildet – Hautkrebs
Deni:	ca. 21 Jahre	Tänzerin, kreativ – Syphilis
Sokolow:	ca. 29 Jahre	Detektiv, geheimnisvoll – HIV
Koslow:	ca. 29 Jahre	Auftragsmörderin, wütend – Brustkrebs
Morosow:	ca. 29 Jahre	Spionin, sinnlich – Chlamydien
Pettersen:	ca. 33 Jahre	Headhunter, selbstbewusst – Neurodermitis
Haugen:	ca. 33 Jahre	Börsenmakler, übermüdet – Durchfall
Halvorsen:	ca. 33 Jahre	Vertrieblerin, langweilig – Demenz
Karmoy:	ca. 54 Jahre	Tierpfleger, zuversichtlich – Sonnenallergie
Alesund:	ca. 54 Jahre	Tierzüchter, unkompliziert – Depression
Alta:	ca. 54 Jahre	Tierärztin, sinnlich – Fußpilz
Spieß:	ca. 67 Jahre	Schaffner, tolerant – Hepatitis A
Locker:	ca. 67 Jahre	Busfahrerin, sympathisch – Hirntumor
Klemm:	ca. 67 Jahre	Fahrkartenkontrolleurin, vital – Borderline

27. SIMULATION 27 – FIGUREN LERNEN

Lernzeit: 4 Minuten

SIMULATION 27 – FAKTEN LERNEN

Lernzeit: 6 Minuten

Sharma:	ca. 24 Jahre	Schmuckdesigner, zuvorkommend – Tuberkulose
Mandal:	ca. 24 Jahre	Grafikdesigner, demütig– Schilddrüsenunterfunktion
Prasad:	ca. 24 Jahre	Produktdesignerin, bodenständig – Herzinfarkt

Petrow:	ca. 37 Jahre	Stadträtin, emanzipiert – Thrombose
Saizew:	ca. 37 Jahre	Kongressabgeordneter, impulsiv – Gelbfieber
Pawlow:	ca. 37 Jahre	Bürgermeisterin, konservativ – Mumps

Hansen:	ca. 46 Jahre	Maschinenbauer, eitel – Morbus Bechterew
Johansen:	ca. 46 Jahre	Elektrotechnikerin, intellektuell– Masern
Olsen:	ca. 46 Jahre	Wirtschaftsingenieur, introvertiert – Malaria

Rauma:	ca. 75 Jahre	Friseurin, emotional – Bluthochdruck
Arendal:	ca. 75 Jahre	Kosmetiker, kurios – Darmfistel
Askim:	ca. 75 Jahre	Stylistin, robust – Morbus Crohn

Brichter:	ca. 81 Jahre	Pilot, ruhig – Schilddrüsenüberfunktion
Reißer:	ca. 81 Jahre	Flugbegleiterin, eitel – Mangelernährung
Schneider:	ca. 81 Jahre	Fluglotse, sensibel – Röteln

28. SIMULATION 28 – FIGUREN LERNEN

Lernzeit: 4 Minuten

SIMULATION 28 – FAKTEN LERNEN

Lernzeit: 6 Minuten

Khatoon:	ca. 29 Jahre	Stadtplaner, hübsch – Bänderdehnung
Mishra:	ca. 29 Jahre	Innenarchitektin, geschmackvoll – Bluterguss
Sarkar:	ca. 29 Jahre	Landschaftsarchitekt, skurril – Herpes
Semjonow:	ca. 58 Jahre	Dompteurin, zynisch – Bänderriss
Golubew:	ca. 58 Jahre	Clown, temperamentvoll – Akne
Bogdanow:	ca. 58 Jahre	Zirkusartistin, sarkastisch – Gebärmutterentzündung
Dahl:	ca. 63 Jahre	Finanzberaterin, neugierig – Bänderzerrung
Lund:	ca. 63 Jahre	Steuerberater, penibel – Schuppenflechte
Berg:	ca. 63 Jahre	Buchhalter, hysterisch – Wirbelsäulenverkrümmung
Bodo:	ca. 71 Jahre	Polizistin, gewaltbereit – Rückenschmerzen
Orland:	ca. 71 Jahre	Rechtsanwalt, durchsetzungsfähig – Platzwunde
Drammen:	ca. 71 Jahre	Richterin, anstrengend – Regelbeschwerden
Vollmer:	ca. 92 Jahre	Autorin, introvertiert – Bandscheibenvorfall
Halber:	ca. 92 Jahre	Reporter, aufdringlich – Schnittwunde
Ganzer:	ca. 92 Jahre	Regisseurin, neugierig – Gebärmutterhalskrebs

ÜBUNGSAUFGABEN – REPRODUKTIONS PHASE

1.	SIMULATION 1	87/89
2.	SIMULATION 2	90/91
3.	SIMULATION 3	92/93
4.	SIMULATION 4	94/95
5.	SIMULATION 5	96/97
6.	SIMULATION 6	98/99
7.	SIMULATION 7	100/101
8.	SIMULATION 8	102/103
9.	SIMULATION 9	104/105
10.	SIMULATION 10	106/107
11.	SIMULATION 11	108/109
12.	SIMULATION 12	110/111
13.	SIMULATION 13	112/113
14.	SIMULATION 14	114/115
15.	SIMULATION 15	116/117
16.	SIMULATION 16	118/119
17.	SIMULATION 17	120/121
18.	SIMULATION 18	122/123
19.	SIMULATION 19	124/125
20.	SIMULATION 20	126/127
21.	SIMULATION 21	128/129
22.	SIMULATION 22	130/131
23.	SIMULATION 23	132/133
24.	SIMULATION 24	134/135
25.	SIMULATION 25	136/137
26.	SIMULATION 26	138/139
27.	SIMULATION 27	140/141
28.	SIMULATION 28	142/143

ÜBUNGSAUFGABEN –

REPRODUKTIONS PHASE

Du hattest vor dem Untertest Textverständnis versucht Dir **20 Figuren** einzuprägen.

Nun wird Deine Merkfähigkeit geprüft, indem Du in den folgenden Figuren den zuvor geschwärzten Bereich erkennen musst. Markiere bitte für jede Figur den entsprechenden Lösungsbuchstaben auf dem Antwortbogen.

Zur Bearbeitung stehen Dir **fünf Minuten** zur Verfügung.

1. SIMULATION 1 – FIGUREN LERNEN

Bearbeitungszeit: 5 Minuten

1.
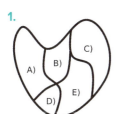

2.
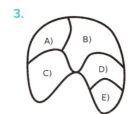

3.

4.
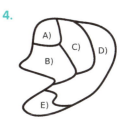

5.
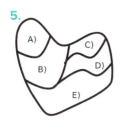

6.
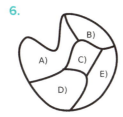

7.
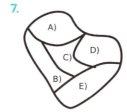

8.
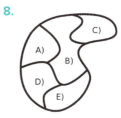

9.
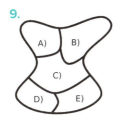

10.
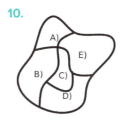

11.
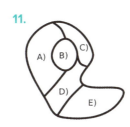

12.
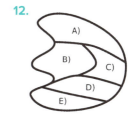

13.
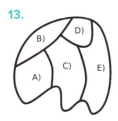

14.
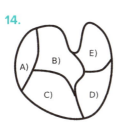

15.
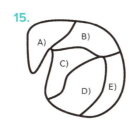

16.
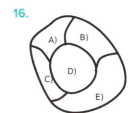

17.
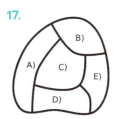

18.
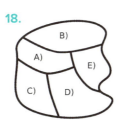

19.
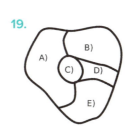

20.
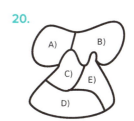

ÜBUNGSAUFGABEN

–

REPRODUKTIONS PHASE

Du hattest vor dem Untertest Textverständnis versucht Dir die **15 Patienten** samt Name, Alter, Beruf, Diagnose und Charakterisierung einzuprägen.

Nun wird Deine Merkfähigkeit geprüft, indem Du die folgenden Fragen beantworten sollst. Bitte beachte, dass die Fragen in diesem Untertest spaltenweise angeordnet sind.

Zur Bearbeitung stehen Dir **sieben Minuten** zur Verfügung.

SIMULATION 1 – FAKTEN LERNEN

Bearbeitungszeit: 7 Minuten

1. Der ledige Patient ist von Beruf …
(A) Mechaniker
(B) Rennfahrer
(C) Zahnarzt
(D) Schauspieler
(E) Kameramann

2. Die Kosmetikerin …
(A) ist nervös
(B) wurde überwiesen
(C) ist depressiv
(D) ist misstrauisch
(E) ist ungestüm

3. Das Alter des Radsport-Profis beträgt …
(A) ca. 18 Jahre
(B) ca. 22 Jahre
(C) ca. 35 Jahre
(D) ca. 50 Jahre
(E) ca. 70 Jahre

4. Der Schauspieler leidet an …
(A) Lungenkarzinom
(B) Nasenbluten
(C) Herzversagen
(D) Hodenkrebs
(E) Herzinfarkt

5. Der Patient mit Herzversagen ist von Beruf …
(A) Statiker
(B) Feinmechaniker
(C) Fußballtrainer
(D) Zahnarzt
(E) Kameramann

6. Die Arzthelferin …
(A) ist ledig
(B) ist verheiratet
(C) ist kontaktarm
(D) ist nervös
(E) befindet sich in der Ambulanz

7. Die Diagnose für die Lkw-Fahrerin lautet …
(A) Knochenkrebs
(B) Oberschenkelbruch
(C) Hautausschlag
(D) Allergie
(E) Nasenbluten

8. Die an Heiserkeit erkrankte Patientin ist …
(A) überwiesen
(B) pensioniert
(C) misstrauisch
(D) ungestüm
(E) stupide

9. Der Radsport-Profi heißt …
(A) Brauner
(B) Schwarzer
(C) Backner
(D) Kasner
(E) Vogel

10. Die Diagnose der Notfallpatientin lautet …
(A) Rückgratverletzung
(B) Lungenkarzinom
(C) Mundgeruch
(D) Herzinfarkt
(E) Nasenbluten

11. Der ca. 70-jährige Patient leidet an …
(A) Knochenkrebs
(B) Herzversagen
(C) Herzinfarkt
(D) Allergie
(E) Karies

12. Der verheiratete Patient heißt …
(A) Waldner
(B) Strauch
(C) Kasner
(D) Bleibtreu
(E) Dünkel

13. Frau Kasner ist von Beruf …
(A) Masseurin
(B) Hostess
(C) Technische Zeichnerin
(D) Feinmechanikerin
(E) Lkw-Fahrerin

14. Der Patient mit dem Hodenkrebs ist …
(A) wütend
(B) ein Notfall
(C) ängstlich
(D) kontaktarm
(E) stupide

15. Die Patientin mit der Rückgratverletzung ist …
(A) ca. 18 Jahre
(B) ca. 22 Jahre
(C) ca. 35 Jahre
(D) ca. 50 Jahre
(E) ca. 70 Jahre

16. Frau Strauch …
(A) ist ledig
(B) wurde überwiesen
(C) ist depressiv
(D) ist nervös
(E) ist verheiratet

17. Die Diagnose für die Kosmetikerin lautet …
(A) Mundgeruch
(B) Karies
(C) Knochenkrebs
(D) Heiserkeit
(E) Allergie

18. Die Patientin in der Ambulanz ist von Beruf …
(A) Hostess
(B) technische Zeichnerin
(C) Feinmechanikerin
(D) Masseurin
(E) Kosmetikerin

19. Die Diagnose für Herrn Vogel lautet …
(A) Mittelohrentzündung
(B) Hodenkrebs
(C) Knochenkrebs
(D) Oberschenkelbruch
(E) Mundgeruch

20. Der Patient mit der Mittelohrentzündung …
(A) ist verheiratet
(B) ist depressiv
(C) ist nervös
(D) ist ängstlich
(E) wurde überwiesen

2. SIMULATION 2 – FIGUREN LERNEN

Bearbeitungszeit: 5 Minuten

1.
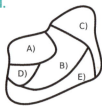

2.
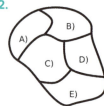

3.
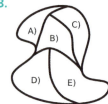

4.
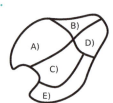

5.
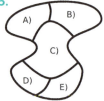

6.
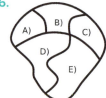

7.
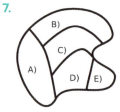

8.
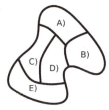

9.
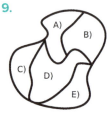

10.
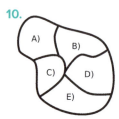

11.
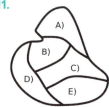

12.
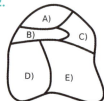

13.
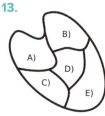

14.
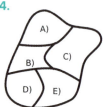

15.
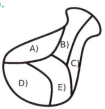

16.
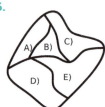

17.
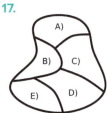

18.
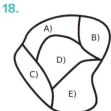

19.
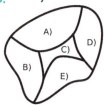

20.
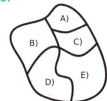

SIMULATION 2 – FAKTEN LERNEN

Bearbeitungszeit: 7 Minuten

1. Die aufgeregte Patientin ist von Beruf …
(A) Sekretärin
(B) Tierärztin
(C) Praktikantin
(D) Galeristin
(E) Managerin

2. Der Wachmann ist …
(A) sauer
(B) in der Tagesklink
(C) selbstsicher
(D) sprunghaft
(E) betrunken

3. Das Alter des Zoo-wärters beträgt …
(A) ca. 22 Jahre
(B) ca. 25 Jahre
(C) ca. 35 Jahre
(D) ca. 45 Jahre
(E) ca. 65 Jahre

4. Der Banker leidet an …
(A) Prostatakrebs
(B) Wahnvorstellungen
(C) Kopfschmerzen
(D) Nasenbluten
(E) Asthma

5. Der Patient mit Reiz-husten ist von Beruf …
(A) Jäger
(B) Banker
(C) Wachmann
(D) Tierzüchter
(E) Café-Besitzer

6. Die Berufssoldatin ist …
(A) selbstsicher
(B) schüchtern
(C) aufgeregt
(D) in der Tagesklink
(E) sauer

7. Die Diagnose für den Zoowärter lautet …
(A) Herzrhythmusstörungen
(B) Polytrauma
(C) Asthma
(D) Kopfschmerzen
(E) Tuberkulose

8. Der an Nasenbluten erkrankte Patient ist …
(A) betrunken
(B) verwirrt
(C) lustig
(D) aufgeregt
(E) aggressiv

9. Der Maler heißt …
(A) Grüner
(B) Martin
(C) Ernsd
(D) Blauer
(E) Schlos

10. Die Diagnose für den Politiker lautet …
(A) Prostatakrebs
(B) Kopfschmerzen
(C) Wahnvorstellungen
(D) Polytrauma
(E) Herzrasen

11. Die ca. 25-jährige Patientin leidet an …
(A) Tuberkulose
(B) Polytrauma
(C) Herzrasen
(D) Synkopen
(E) Radiusbruch

12. Der privat versicherte Patient heißt …
(A) Boxer
(B) Ernsd
(C) Martin
(D) Peter
(E) Freudig

13. Herr Weiß ist von Beruf …
(A) Museumswärter
(B) Maler
(C) Banker
(D) Jäger
(E) Wachmann

14. Die Patientin mit Kopfschmerzen ist …
(A) sprunghaft
(B) verwirrt
(C) lustig
(D) aufgeregt
(E) gereizt

15. Die Patientin, die das Herzrasen hat, ist …
(A) selbstsicher
(B) wütend
(C) sauer
(D) Kassenpatient
(E) privat versichert

16. Frau Boxer ist …
(A) selbstsicher
(B) wütend
(C) sauer
(D) Kassenpatient
(E) privat versichert

17. Die Diagnose für die Praktikantin lautet …
(A) Herzrhythmusstörungen
(B) Polytrauma
(C) Herzrasen
(D) Kopfschmerzen
(E) Tuberkulose

18. Die gereizte Patientin ist von Beruf …
(A) Sekretärin
(B) Tierärztin
(C) Praktikantin
(D) Galeristin
(E) Managerin

19. Die Diagnose für Frau Hausner lautet …
(A) Tuberkulose
(B) Polytrauma
(C) Darmkrebs
(D) Synkopen
(E) Radiusbruch

20. Der Patient mit Reizhusten ist …
(A) selbstsicher
(B) wütend
(C) sauer
(D) Kassenpatient
(E) privat versichert

3. SIMULATION 3 – FIGUREN LERNEN

Bearbeitungszeit: 5 Minuten

1.
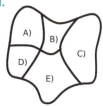

2.
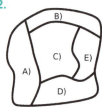

3.
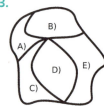

4.
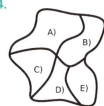

5.
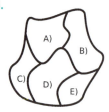

6.
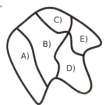

7.
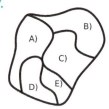

8.
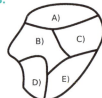

9.
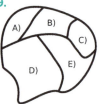

10.
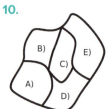

11.
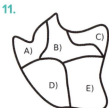

12.
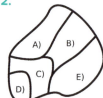

13.
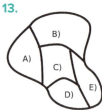

14.
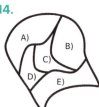

15.
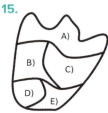

16.
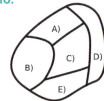

17.
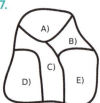

18.
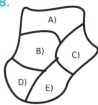

19.
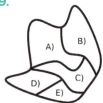

20.
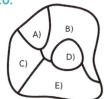

SIMULATION 3 – FAKTEN LERNEN

Bearbeitungszeit: 7 Minuten

1. Die verheiratete Patientin ist von Beruf …
(A) Straßenmusikantin
(B) Eisverkäuferin
(C) Rechtsanwältin
(D) Richterin
(E) Politikerin

2. Der Pizzabäcker ist …
(A) witzig
(B) verärgert
(C) aufdringlich
(D) schmerzfrei
(E) verrückt

3. Das Alter des Jongleurs beträgt …
(A) ca. 20 Jahre
(B) ca. 25 Jahre
(C) ca. 34 Jahre
(D) ca. 44 Jahre
(E) ca. 67 Jahre

4. Der Zauberer leidet an …
(A) Burnout-Syndrom
(B) Migräne
(C) Dünndarmkrebs
(D) Magenschmerzen
(E) Demenz

5. Der Patient mit dem Tinnitus ist von Beruf …
(A) Manager
(B) Dompteur
(C) Bettler
(D) Jongleur
(E) Pizzabäcker

6. Die Politikerin ist …
(A) antriebslos
(B) verärgert
(C) aufdringlich
(D) schmerzfrei
(E) verrückt

7. Die Diagnose für den Staatsanwalt lautet …
(A) Burnout-Syndrom
(B) Migräne
(C) Dünndarmkrebs
(D) Magenschmerzen
(E) Demenz

8. Der an Demenz erkrankte Patient ist …
(A) psychotisch
(B) verärgert
(C) aufdringlich
(D) amüsiert
(E) verrückt

9. Der übergewichtige Patient heißt …
(A) Hitzig
(B) Maier
(C) Mustermann
(D) Händli
(E) Schmidt

10. Die Diagnose für den Gondolieri lautet …
(A) Bournout-Syndrom
(B) Migräne
(C) Dünndarmkrebs
(D) Magenschmerzen
(E) Demenz

11. Die ca. 20-jährige Patientin leidet an …
(A) Dünndarmkrebs
(B) Polypen
(C) Magenschmerzen
(D) Schwindel
(E) Brustkrebs

12. Der schmerzfreie Patient heißt …
(A) Voigt
(B) Linker
(C) Rechter
(D) Gerad
(E) Kayser

13. Herr Beinig ist von Beruf …
(A) Staatsanwalt
(B) Jongleur
(C) Pizzabäcker
(D) Manager
(E) Zauberer

14. Die Patientin mit Spannungskopfschmerz ist …
(A) ca. 20 Jahre
(B) ca. 25 Jahre
(C) ca. 34 Jahre
(D) ca. 44 Jahre
(E) ca. 67 Jahre

15. Die Patientin, die Schwindel hat, ist …
(A) antriebslos
(B) verärgert
(C) amüsiert
(D) schmerzfrei
(E) verrückt

16. Frau Händli ist …
(A) unzufrieden
(B) verärgert
(C) aufdringlich
(D) geschieden
(E) verrückt

17. Die Diagnose für die Richterin lautet …
(A) Dünndarmkrebs
(B) Polypen
(C) Magenschmerzen
(D) Brust-OP
(E) Schwindel

18. Die Patientin mit Brustkrebs ist von Beruf …
(A) Straßenmusikantin
(B) Eisverkäuferin
(C) Rechtsanwältin
(D) Tänzerin
(E) Politikerin

19. Die Diagnose für Frau Füssner lautet …
(A) Dünndarmkrebs
(B) Polypen
(C) Magenverkleinerung
(D) Burnout-Syndrom
(E) Brustkrebs

20. Der Patient mit Magenschmerzen …
(A) ist aufdringlich
(B) ist stabil
(C) ist witzig
(D) ist antriebslos
(E) ist unzufrieden

4. SIMULATION 4 – FIGUREN LERNEN

Bearbeitungszeit: 5 Minuten

1.
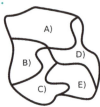

2.
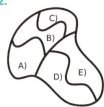

3.
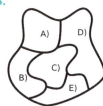

4.
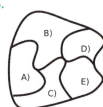

5.
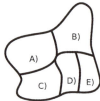

6.
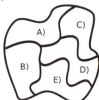

7.
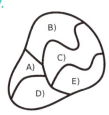

8.
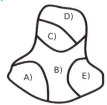

9.
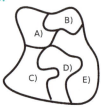

10.
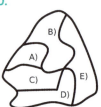

11.
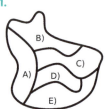

12.
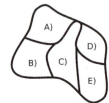

13.
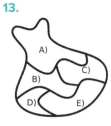

14.
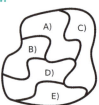

15.
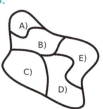

16.
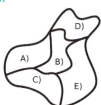

17.
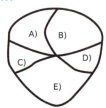

18.
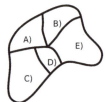

19.
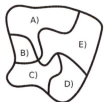

20.
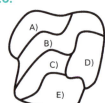

SIMULATION 4 – FAKTEN LERNEN

Bearbeitungszeit: 7 Minuten

1. **Die abergläubische Patientin ist von Beruf …**
(A) Archäologin
(B) Forstwirtin
(C) Galeristin
(D) Köchin
(E) Kolumnistin

2. **Der Journalist ist …**
(A) quirlig
(B) ehrenhaft
(C) intellektuell
(D) reizbar
(E) kämpferisch

3. **Das Alter des Botanikers beträgt …**
(A) ca. 22 Jahre
(B) ca. 35 Jahre
(C) ca. 45 Jahre
(D) ca. 50 Jahre
(E) ca. 65 Jahre

4. **Der Lackierer leidet an …**
(A) Lungenkrebs
(B) Rückenschmerzen
(C) Bluthochdruck
(D) Adipositas
(E) Hautausschlag

5. **Der Patient mit dem Schlaganfall ist von Beruf …**
(A) Botaniker
(B) Hirte
(C) Schiffbauer
(D) Lackierer
(E) Weinbauer

6. **Die Barkeeperin ist …**
(A) quirlig
(B) ichbezogen
(C) selbstbewusst
(D) reizbar
(E) kämpferisch

7. **Die Diagnose für den Weinbauer lautet …**
(A) Magenverstimmung
(B) Rückenschmerzen
(C) Spondylose
(D) Adipositas
(E) Hautausschlag

8. **Der an Hautausschlag erkrankte Patient ist …**
(A) naiv
(B) einsichtig
(C) selbstsüchtig
(D) reizbar
(E) kämpferisch

9. **Der ehrenhafte Patient heißt …**
(A) Hoser
(B) Wintermäntel
(C) Violet
(D) Fromm
(E) Heilig

10. **Die Diagnose für den Bäcker lautet …**
(A) Reizdarm
(B) Rückenschmerzen
(C) Bluthochdruck
(D) Alkoholiker
(E) Spondylose

11. **Die ca. 65-jährige Patientin leidet an …**
(A) Lungenkrebs
(B) Rückenschmerzen
(C) Bluthochdruck
(D) Adipositas
(E) Hautausschlag

12. **Der einseitige Patient heißt …**
(A) Hoser
(B) Wintermantel
(C) Violet
(D) Fromm
(E) Heilig

13. **Herr Blauer ist von Beruf …**
(A) Botaniker
(B) Hirte
(C) Schiffbauer
(D) Lackierer
(E) Weinbauer

14. **Die Patientin mit dem Beckenbruch ist …**
(A) ca. 22 Jahre
(B) ca. 35 Jahre
(C) ca. 45 Jahre
(D) ca. 50 Jahre
(E) ca. 65 Jahre

15. **Die nikotinabhängige Patientin, ist …**
(A) ideenreich
(B) ehrenhaft
(C) reizbar
(D) einsichtig
(E) abergläubisch

16. **Frau Grüne ist …**
(A) quirlig
(B) selbstbewusst
(C) intellektuell
(D) reizbar
(E) kämpferisch

17. **Die Diagnose für die Archäologin lautet …**
(A) Lungenkrebs
(B) Rückenschmerzen
(C) Bluthochdruck
(D) Adipositas
(E) Hautausschlag

18. **Die Patientin mit Oberschenkelbruch ist von Beruf …**
(A) Archäologin
(B) Forstwirtin
(C) Galeristin
(D) Köchin
(E) Kolumnistin

19. **Die Diagnose für Frau Apfel lautet …**
(A) Lungenkrebs
(B) Oberschenkelbruch
(C) Bluthochdruck
(D) Asthma
(E) Reizdarm

20. **Der Patient mit Lungenkrebs ist …**
(A) quirlig
(B) ehrenhaft
(C) intellektuell
(D) reizbar
(E) kämpferisch

5. SIMULATION 5 – FIGUREN LERNEN

Bearbeitungszeit: 5 Minuten

1.
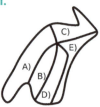

2.
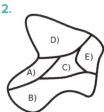

3.
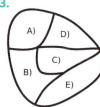

4.
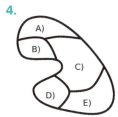

5.
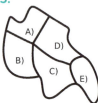

6.
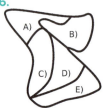

7.
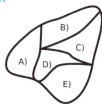

8.
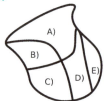

9.
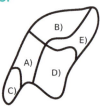

10.
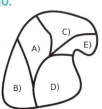

11.
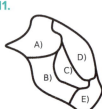

12.
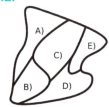

13.
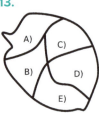

14.
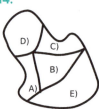

15.
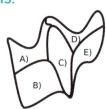

16.
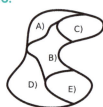

17.
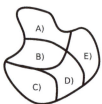

18.
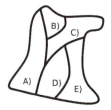

19.
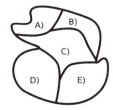

20.
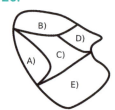

SIMULATION 5 – FAKTEN LERNEN

Bearbeitungszeit: 7 Minuten

1. Die aufgeregte Patientin ist von Beruf …
(A) Fahrlehrerin
(B) Zoologin
(C) App-Entwicklerin
(D) Metallgestalterin
(E) Artistin

2. Der Golflehrer ist …
(A) verbittert
(B) verschwiegen
(C) aufbrausend
(D) ruhig
(E) aufgeregt

3. Das Alter des Biobauern beträgt …
(A) ca. 23 Jahre
(B) ca. 35 Jahre
(C) ca. 45 Jahre
(D) ca. 55 Jahre
(E) ca. 70 Jahre

4. Der Informatiker leidet an …
(A) Vorhautverengung
(B) Schwindelanfällen
(C) Blasenkrebs
(D) Durchblutungsstörung
(E) Depressiver Episode

5. Der Patient mit Blasenkrebs ist von Beruf …
(A) Choreograf
(B) Game-Designer
(C) Informatiker
(D) Metzger
(E) Tänzer

6. Die Fahrlehrerin ist …
(A) verbittert
(B) verschwiegen
(C) aufbrausend
(D) ruhig
(E) aufgeregt

7. Die Diagnose für den Tennistrainer lautet …
(A) Vorhautverengung
(B) Durchblutungsstörung
(C) Depressive Episode
(D) Diabetes
(E) Hautkrebs

8. Der an Diabetes erkrankte Patient ist …
(A) ängstlich
(B) wütend
(C) durcheinander
(D) übergewichtig
(E) schlau

9. Der aufbrausende Patient heißt …
(A) Krause
(B) Glat
(C) Becker
(D) Friedrich
(E) Otto

10. Die Diagnose für den Metzger lautet …
(A) Grippe
(B) Schwindelanfälle
(C) Blasenkrebs
(D) Durchblutungsstörung
(E) Depressive Episode

11. Der ca. 35-jährige Patient leidet an …
(A) Depressiver Episode
(B) Bandscheibenvorfall
(C) Blasenentzündung
(D) Diabetes
(E) akute Bronchitis

12. Der übergewichtige Patient heißt …
(A) Krüger
(B) Bechner
(C) Friedrich
(D) Glass
(E) Ziegel

13. Herr Krause ist von Beruf …
(A) Biochemiker
(B) Tennistrainer
(C) Game-Designer
(D) Biobauer
(E) Metzger

14. Der Patient mit dem Wundbrand ist …
(A) ca. 23 Jahre
(B) ca. 35 Jahre
(C) ca. 45 Jahre
(D) ca. 55 Jahre
(E) ca. 70 Jahre

15. Die Patientin, die Hautkrebs hat, ist …
(A) ängstlich
(B) wütend
(C) müde
(D) pensioniert
(E) durcheinander

16. Die Weberin ist …
(A) durcheinander
(B) aufgeregt
(C) verschwiegen
(D) verbittert
(E) aufbrausend

17. Die Diagnose für die Zoologin lautet …
(A) Grippe
(B) Hautkrebs
(C) Diabetes
(D) Blasenkrebs
(E) Bandscheibenvorfall

18. Der an einer Grippe erkrankte Patient ist …
(A) wütend
(B) müde
(C) pensioniert
(D) durcheinander
(E) ängstlich

19. Der misstrauische Patient heißt …
(A) Krüger
(B) Kiesel
(C) Friedrich
(D) Glass
(E) Ziegel

20. Die Diagnose für den Biobauer lautet …
(A) Bänderriss
(B) Durchblutungsstörung
(C) Hautkrebs
(D) Wundbrand
(E) Rückenschmerzen

6. SIMULATION 6 – FIGUREN LERNEN

Bearbeitungszeit: 5 Minuten

1.
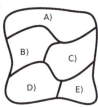

2.
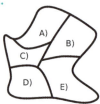

3.
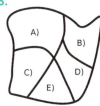

4.
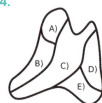

5.
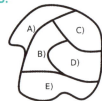

6.
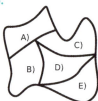

7.
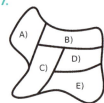

8.

9.
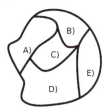

10.
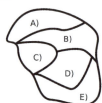

11.
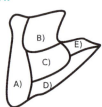

12.
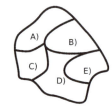

13.
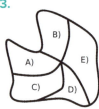

14.
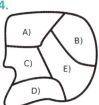

15.
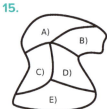

16.
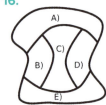

17.
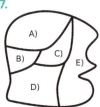

18.
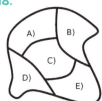

19.
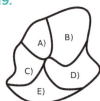

20.
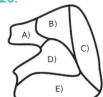

SIMULATION 6 – FAKTEN LERNEN

Bearbeitungszeit: 7 Minuten

1. Die selbstbewusste Patientin ist von Beruf …
(A) Beamtin
(B) Reitlehrerin
(C) Krankenschwester
(D) Blumenhändlerin
(E) Sekretärin

2. Der Sanitäter ist …
(A) redegewandt
(B) elegant
(C) ausgeglichen
(D) muskulös
(E) altmodisch

3. Das Alter des Sanitäters beträgt …
(A) ca. 20 Jahre
(B) ca. 30 Jahre
(C) ca. 40 Jahre
(D) ca. 50 Jahre
(E) ca. 60 Jahre

4. Der Förster leidet an …
(A) Fieber
(B) Bluthochdruck
(C) Hypotonie
(D) Hämorrhoiden
(E) Rückenschmerzen

5. Der Patient mit dem Magenulkus ist von Beruf …
(A) Detektiv
(B) Gärtner
(C) Jurist
(D) Frührentner
(E) Tierarzt

6. Die Krankenschwester ist …
(A) redegewandt
(B) ausgeglichen
(C) redelustig
(D) altmodisch
(E) faul

7. Die Diagnose für den Jurist lautet …
(A) Bauchschmerzen
(B) Magenulkus
(C) Fieber
(D) Magenkrebs
(E) Rückenschmerzen

8. Der an Bauchschmerzen erkrankte Patient ist …
(A) innovativ
(B) redegewandt
(C) überzeugend
(D) muskulös
(E) redelustig

9. Der elegante Patient heißt …
(A) Koch
(B) Kellner
(C) Mutz
(D) Blaus
(E) Pfeiffer

10. Die Diagnose für den Tierarzt lautet …
(A) Fieber
(B) chronische Entzündung
(C) Durchfall
(D) Verstopfung
(E) Hypotonie

11. Die ca. 20-jährige Patientin leidet an …
(A) Hypotonie
(B) Migräne
(C) Schlafstörungen
(D) Durchfall
(E) Verstopfung

12. Der muskulöse Patient heißt …
(A) Pfeiffer
(B) Schnalzer
(C) Grüner
(D) Blaus
(E) Kellner

13. Herr Mutz ist von Beruf …
(A) Förster
(B) Gärtner
(C) Jurist
(D) Frührentner
(E) Viehhändler

14. Der Patient mit den Rückenschmerzen ist …
(A) ca. 20 Jahre
(B) ca. 30 Jahre
(C) ca. 40 Jahre
(D) ca. 50 Jahre
(E) ca. 60 Jahre

15. Die Patientin, die Verstopfung hat, ist …
(A) faul
(B) redegewandt
(C) überzeugend
(D) redelustig
(E) altmodisch

16. Frau Schwarz ist …
(A) innovativ
(B) redegewandt
(C) hübsch
(D) nervös
(E) altmodisch

17. Die Diagnose für die Sekretärin lautet …
(A) Hypotonie
(B) Schlafstörungen
(C) Hautausschlag
(D) Durchfall
(E) Magenkrebs

18. Die Patientin mit Durchfall ist von Beruf …
(A) Krankenschwester
(B) Blumenhändlerin
(C) Beamtin
(D) Sekretärin
(E) Reitlehrerin

19. Die Diagnose für Frau Helmer lautet …
(A) Hypotonie
(B) Schlafstörungen
(C) Migräne
(D) Durchfall
(E) Magenkrebs

20. Der Patient mit Hypotonie ist …
(A) innovativ
(B) elegant
(C) selbstbewusst
(D) muskulös
(E) altmodisch

7. SIMULATION 7 – FIGUREN LERNEN

Bearbeitungszeit: 5 Minuten

1.
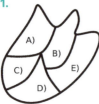

2.
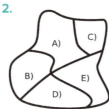

3.
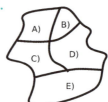

4.
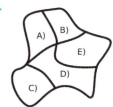

5.
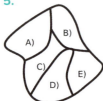

6.
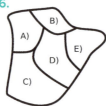

7.
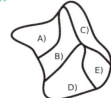

8.
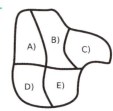

9.
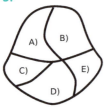

10.
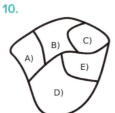

11.
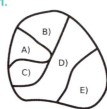

12.
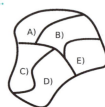

13.
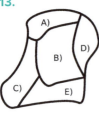

14.
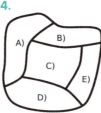

15.
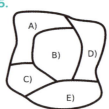

16.
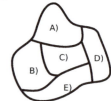

17.
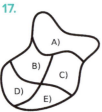

18.
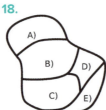

19.
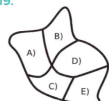

20.
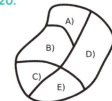

SIMULATION 7 – FAKTEN LERNEN

Bearbeitungszeit: 7 Minuten

1. Die magere Patientin ist von Beruf …
(A) Kellnerin
(B) Studentin
(C) Briefträgerin
(D) Vermieterin
(E) Mechanikerin

2. Die Diagnose für den Gärtner lautet …
(A) Tropeninfektion
(B) Psychose
(C) Alkoholentzug
(D) Thrombose
(E) Niereninsuffizienz

3. Das Alter der Studentin beträgt …
(A) ca. 22 Jahre
(B) ca. 32 Jahre
(C) ca. 45 Jahre
(D) ca. 55 Jahre
(E) ca. 70 Jahre

4. Frau Gelbner ist von Beruf …
(A) Vermieterin
(B) Mechanikerin
(C) Studentin
(D) Briefträgerin
(E) Kellnerin

5. Der an einer Platzwunde leidende Patient ist von Beruf …
(A) Barmann
(B) Koch
(C) Professor
(D) Lehrer
(E) Plantagenbesitzer

6. Die Diagnose für Herrn Roter lautet …
(A) Thrombose
(B) Hautkrebs
(C) Bluthochdruck
(D) Psychose
(E) Schlaganfall

7. Die ca. 32-jährige Patientin leidet an …
(A) Lungenkrebs
(B) Hautkrebs
(C) Darminfektion
(D) Pilzinfektion
(E) Raucherhusten

8. Herr Tuchner hat ein Alter von …
(A) ca. 22 Jahren
(B) ca. 32 Jahren
(C) ca. 45 Jahren
(D) ca. 55 Jahren
(E) ca. 70 Jahren

9. Der Patient mit dem Bluthochdruck heißt …
(A) Metzger
(B) Müller
(C) Roter
(D) Lahm
(E) Breitner

10. Der Patient mit der Platzwunde ist …
(A) vital
(B) verwitwet
(C) übergewichtig
(D) nicht ansprechbar
(E) müde

11. Die an Pilzinfektion erkrankte Patientin ist von Beruf …
(A) Kellnerin
(B) Briefträgerin
(C) Vermieterin
(D) Mechanikerin
(E) Studentin

12. Die Vermieterin heißt …
(A) Metzger
(B) Müller
(C) Roter
(D) Lahm
(E) Breitner

13. Der Professor ist …
(A) vital
(B) verwitwet
(C) im Isolationszimmer
(D) nicht ansprechbar
(E) müde

14. Der altkluge Patient heißt …
(A) Brot
(B) Tort
(C) Breitner
(D) Lahm
(E) Seider

15. Der an Schlaganfall erkrankte Patient ist …
(A) vital
(B) übergewichtig
(C) nicht ansprechbar
(D) müde
(E) neugierig

16. Das Alter der molligen Patientin beträgt …
(A) ca. 22 Jahre
(B) ca. 32 Jahre
(C) ca. 45 Jahre
(D) ca. 55 Jahre
(E) ca. 70 Jahre

17. Die gelangweilte Patientin ist von Beruf …
(A) Kellnerin
(B) Studentin
(C) Briefträgerin
(D) Vermieterin
(E) Mechanikerin

18. Die Briefträgerin heißt …
(A) Wolpert
(B) Gelbner
(C) Roter
(D) Blaurer
(E) Tuchner

19. Die Diagnose für den Koch lautet …
(A) Tropeninfektion
(B) Psychose
(C) Alkoholentzug
(D) Thrombose
(E) Niereninsuffizienz

20. Die Briefträgerin ist …
(A) vital
(B) verwitwet
(C) übergewichtig
(D) nicht ansprechbar
(E) mollig

8. SIMULATION 8 – FIGUREN LERNEN

Bearbeitungszeit: 5 Minuten

1.
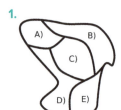

2.
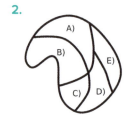

3.
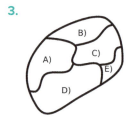

4.
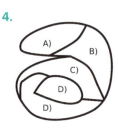

5.

6.
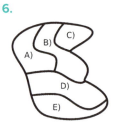

7.
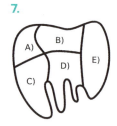

8.
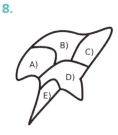

9.

10.
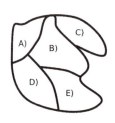

11.
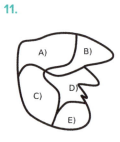

12.
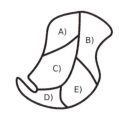

13.

14.
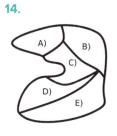

15.
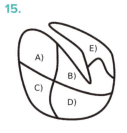

16.
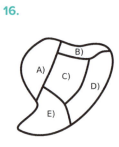

17.

18.
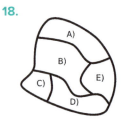

19.
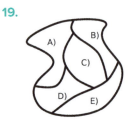

20.
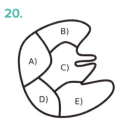

SIMULATION 8 – FAKTEN LERNEN

Bearbeitungszeit: 7 Minuten

1. Die gemütliche Patientin ist von Beruf …
(A) Altenpflegerin
(B) Fußpflegerin
(C) Patentanwältin
(D) Schilehrerin
(E) Landschaftsgärtnerin

2. Der Saunawart ist …
(A) frech
(B) aufgewühlt
(C) sportlich
(D) verbissen
(E) ruhig

3. Das Alter des Botanikers beträgt …
(A) ca. 22 Jahre
(B) ca. 33 Jahre
(C) ca. 45 Jahre
(D) ca. 55 Jahre
(E) ca. 65 Jahre

4. Der Atomphysiker leidet an …
(A) Nasenbeinbruch
(B) Nasenbluten
(C) Zungenkrebs
(D) Gehirntumor
(E) Trümmerbruch

5. Der Patient mit dem Haarausfall ist von Beruf …
(A) Liftwart
(B) Winzer
(C) Botaniker
(D) Diätologe
(E) Musiktherapeut

6. Die Fußpflegerin ist …
(A) traurig
(B) gemütlich
(C) kindlich
(D) verbittert
(E) ruhig

7. Die Diagnose für den Liftwart lautet …
(A) Gallensteine
(B) viraler Infekt
(C) Trümmerbruch
(D) Neurodermitis
(E) Leberzirrhose

8. Der an Leberzirrhose erkrankte Patient ist …
(A) ängstlich
(B) aufgewühlt
(C) sportlich
(D) ruhig
(E) intelligent

9. Der freche Patient heißt …
(A) Winter
(B) Schwab
(C) Herbst
(D) Wolf
(E) Fuchs

10. Die Diagnose für den Diätologen lautet …
(A) Neurodermitis
(B) Haarausfall
(C) Nasenbluten
(D) Nasenbeinbruch
(E) Gehirntumor

11. Die ca. 55-jährige Patientin leidet an …
(A) Harnsteinen
(B) viralem Infekt
(C) Trümmerbruch
(D) Nasenbeinbruch
(E) Zungenkrebs

12. Der verbissene Patient heißt …
(A) Lorenz
(B) Ludwig
(C) Wolf
(D) Fuchs
(E) Galger

13. Herr Winter ist von Beruf …
(A) Ingenieur
(B) Atomphysiker
(C) Saunawart
(D) Liftwart
(E) Bergführer

14. Der Patient mit den Krampfadern ist …
(A) ca. 22 Jahre
(B) ca. 33 Jahre
(C) ca. 45 Jahre
(D) ca. 55 Jahre
(E) ca. 65 Jahre

15. Der Patient, der Neurodermitis hat, ist …
(A) betrunken
(B) verbittert
(C) ruhig
(D) kindlich
(E) ängstlich

16. Frau Lorenz ist …
(A) gemütlich
(B) aufgewühlt
(C) mollig
(D) frech
(E) traurig

17. Die Diagnose für die Altenpflegerin lautet …
(A) Haarausfall
(B) Nasenbeinbruch
(C) Krampfadern
(D) Trümmerbruch
(E) Asthma bronchiale

18. Die Patientin mit dem Nasenbeinbruch ist von Beruf …
(A) Altenpflegerin
(B) Landschaftsgärtnerin
(C) Schilehrerin
(D) Masseurin
(E) Fußpflegerin

19. Die Diagnose für Frau Böhm lautet …
(A) Harnsteine
(B) Trümmerbruch
(C) Nasenbeinbruch
(D) viraler Infekt
(E) bakterielle Entzündung

20. Der Patient mit Leberzirrhose ist …
(A) gutaussehend
(B) mollig
(C) intelligent
(D) aufgewühlt
(E) sportlich

9. SIMULATION 9 – FIGUREN LERNEN

Bearbeitungszeit: 5 Minuten

1.
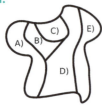

2.
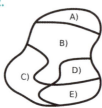

3.
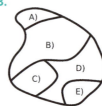

4.
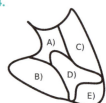

5.
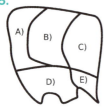

6.
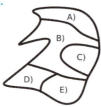

7.
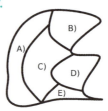

8.
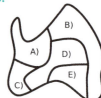

9.
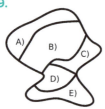

10.
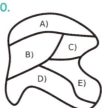

11.
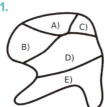

12.
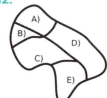

13.
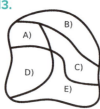

14.
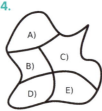

15.
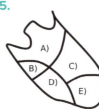

16.
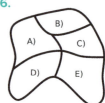

17.
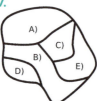

18.
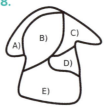

19.
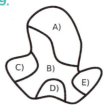

20.
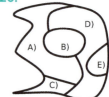

SIMULATION 9 – FAKTEN LERNEN

Bearbeitungszeit: 7 Minuten

1. Die kleingeistige Patientin ist von Beruf …
(A) Raumplanerin
(B) Kunststofftechnikerin
(C) Verkäuferin
(D) Beraterin
(E) Amtsgehilfin

2. Der Kulturtechniker ist …
(A) schlau
(B) kaltschnäuzig
(C) sachlich
(D) abgestumpft
(E) blind

3. Das Alter der Sport-betreuerin beträgt …
(A) ca. 18 Jahre
(B) ca. 25 Jahre
(C) ca. 30 Jahre
(D) ca. 40 Jahre
(E) ca. 70 Jahre

4. Der Jurist leidet an …
(A) Rippenbruch
(B) Impotenz
(C) Inkontinenz
(D) Darminfekt
(E) Prellung

5. Der Patient mit der Schürfwunde ist von Beruf …
(A) Außendienstler
(B) Kunststofftechniker
(C) Jurist
(D) Profisportler
(E) Rechtswissenschaftler

6. Die Amtsgehilfin ist …
(A) kindisch
(B) klug
(C) blind
(D) schwerhörig
(E) gemächlich

7. Die Diagnose für den Sportarzt lautet …
(A) Gehörsturz
(B) Übelkeit
(C) Inkontinenz
(D) Rippenbruch
(E) Darminfekt

8. Der an Impotenz erkrankte Patient ist …
(A) faul
(B) fleißig
(C) schlau
(D) sachlich
(E) kindisch

9. Der kinderliebe Patient heißt …
(A) Wagner
(B) Neumann
(C) König
(D) Bauer
(E) Blau

10. Die Diagnose für den Verkehrsplaner lautet …
(A) Bänderriss
(B) Platzwunde
(C) Verbrennung
(D) Prellung
(E) Alkoholabusus

11. Die ca. 40-jährige Patientin leidet an …
(A) Inkontinenz
(B) Rippenbruch
(C) Übelkeit
(D) Viruserkrankung
(E) Prellung

12. Der kaltschnäuzige Patient heißt …
(A) Bauer
(B) Schäfer
(C) Grüner
(D) Mozart
(E) Schubert

13. Herr Kayser ist von Beruf …
(A) Sportarzt
(B) Profisportler
(C) Außendienstler
(D) Kulturtechniker
(E) Jurist

14. Der Patient mit dem Diabetes-Fuß ist …
(A) ca. 18 Jahre
(B) ca. 25 Jahre
(C) ca. 30 Jahre
(D) ca. 40 Jahre
(E) ca. 70 Jahre

15. Die Patientin, die Prellungen hat, ist …
(A) faul
(B) abgestumpft
(C) scheu
(D) fies
(E) schlau

16. Frau Wagner ist …
(A) kleingeistig
(B) kindisch
(C) klug
(D) kaltschnäuzig
(E) kinderlieb

17. Die Diagnose für die Sportbetreuerin lautet …
(A) Bänderriss
(B) Viruserkrankung
(C) Übelkeit
(D) Inkontinenz
(E) Darminfekt

18. Die Patientin mit dem Rippenbruch ist von Beruf …
(A) Sportbetreuerin
(B) Amtsgehilfin
(C) Verkäuferin
(D) Beraterin
(E) Raumplanerin

19. Die Diagnose für Frau Wagner lautet …
(A) Bänderriss
(B) Alkoholabusus
(C) Viruserkrankung
(D) Gehörsturz
(E) Diabetes-Fuß

20. Der Patient mit Übelkeit ist …
(A) kindisch
(B) fleißig
(C) fies
(D) blind
(E) sachlich

10. SIMULATION 10 – FIGUREN LERNEN

Bearbeitungszeit: 5 Minuten

1.
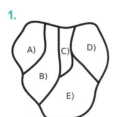

2.
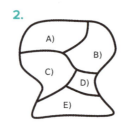

3.
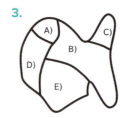

4.
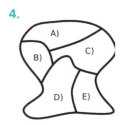

5.
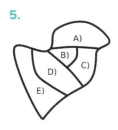

6.
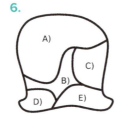

7.
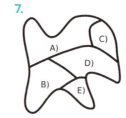

8.
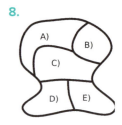

9.
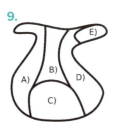

10.
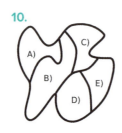

11.
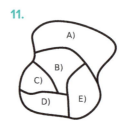

12.
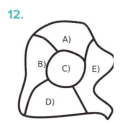

13.
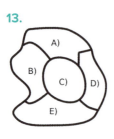

14.
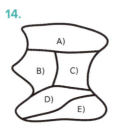

15.
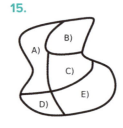

16.
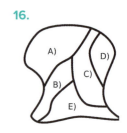

17.
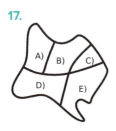

18.
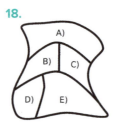

19.
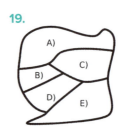

20.
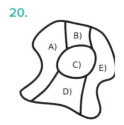

SIMULATION 10 – FAKTEN LERNEN

Bearbeitungszeit: 7 Minuten

1. Die verrückte Patientin ist von Beruf …
(A) Fassbinderin
(B) Restauratorin
(C) Tätowiererin
(D) Apothekerin
(E) Kostümbildnerin

2. Der Lackierer ist …
(A) verklemmt
(B) freundlich
(C) schweigsam
(D) väterlich
(E) sanftmütig

3. Das Alter des Möbelmonteurs beträgt …
(A) ca. 25 Jahre
(B) ca. 30 Jahre
(C) ca. 45 Jahre
(D) ca. 65 Jahre
(E) ca. 80 Jahre

4. Der Buchbinder …
(A) schielt
(B) hat Akne
(C) hat Rückenschmerzen
(D) hat Bauchschmerzen
(E) hat Hämorrhoiden

5. Der Patient mit dem Fremdkörper im Auge ist von Beruf …
(A) Vergolder
(B) Möbelmonteur
(C) Facharzt
(D) Komponist
(E) Lackierer

6. Die Fassbinderin ist …
(A) sanft
(B) verrückt
(C) verklemmt
(D) feminin
(E) freundlich

7. Die Diagnose für den Facharzt lautet …
(A) Schulterläsion
(B) Sehschwäche
(C) Bauchschmerzen
(D) Migräne
(E) Fraktur des Unterarmes

8. Der an Sehschwäche erkrankte Patient ist …
(A) verrückt
(B) väterlich
(C) sanftmütig
(D) kindlich
(E) schweigsam

9. Der vergessliche Patient heißt …
(A) Drucker
(B) Sallig
(C) Zimmermann
(D) Schlüssel
(E) Schloß

10. Die Diagnose für den Holzdesigner lautet …
(A) Kniearthrose
(B) Osteoporose
(C) Migräne
(D) Akne
(E) Schielen

11. Die Bäckerin ist …
(A) sanft
(B) feminin
(C) angenehm
(D) verrückt
(E) väterlich

12. Die Diagnose für den Komponisten lautet …
(A) Entzündung des Auges
(B) Fraktur des Unterarmes
(C) Migräne
(D) Sehschwäche
(E) Akne

13. Der Patient mit Kniearthrose ist …
(A) sanftmütig
(B) kindlich
(C) schöngeistig
(D) väterlich
(E) vergesslich

14. Der schweigsame Patient heißt …
(A) Schreiber
(B) Schloß
(C) Stifter
(D) Drucker
(E) Schlüssel

15. Die Diagnose für den Filmaufnahmeleiter lautet …
(A) Entzündung des Auges
(B) Adipositas
(C) Schielen
(D) Bauchschmerzen
(E) Hämorrhoiden

16. Der ca. 25-jährige Patient leidet an …
(A) Adipositas
(B) Schielen
(C) Rückenschmerzen
(D) Hämorrhoiden
(E) Migräne

17. Der väterliche Patient heißt …
(A) Felsig
(B) Schloß
(C) Stifter
(D) Stein
(E) Schlüssel

18. Herr Stein ist von Beruf …
(A) Holzdesigner
(B) Vergolder
(C) Lackierer
(D) Buchbinder
(E) Komponist

19. Der Patient mit der Schulterläsion ist …
(A) ca. 25 Jahre
(B) ca. 30 Jahre
(C) ca. 45 Jahre
(D) ca. 65 Jahre
(E) ca. 80 Jahre

20. Die Patientin, die Migräne hat, ist …
(A) sanftmütig
(B) kindlich
(C) schöngeistig
(D) väterlich
(E) vergesslich

11. SIMULATION 11 – FIGUREN LERNEN

Bearbeitungszeit: 5 Minuten

1.
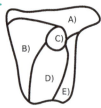

2.
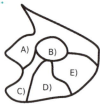

3.
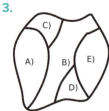

4.
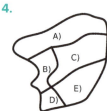

5.
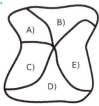

6.
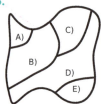

7.
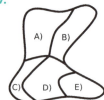

8.
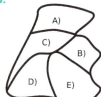

9.
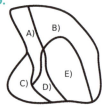

10.
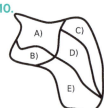

11.
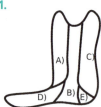

12.
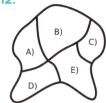

13.
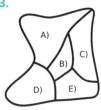

14.
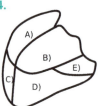

15.
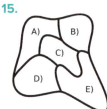

16.
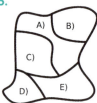

17.
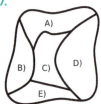

18.
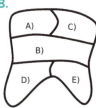

19.
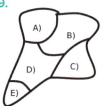

20.
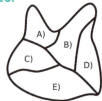

SIMULATION 11 – FAKTEN LERNEN

Bearbeitungszeit: 7 Minuten

1. Die freundliche Patientin ist von Beruf …
(A) Schulbusfahrerin
(B) Orgelspielerin
(C) Rennfahrerin
(D) Intendantin
(E) Tierärztin

2. Der Schauspieler ist …
(A) behaart
(B) feindselig
(C) fordernd
(D) flexibel
(E) abgedreht

3. Das Alter des Zoowärters beträgt …
(A) ca. 20 Jahre
(B) ca. 25 Jahre
(C) ca. 30 Jahre
(D) ca. 40 Jahre
(E) ca. 66 Jahre

4. Der Dompteur leidet an …
(A) Schwindel und Taumel
(B) Bandscheibenschäden
(C) Mandelentzündung
(D) Husten
(E) Kniescheibenbruch

5. Der Patient mit Herz—infarkt ist von Beruf …
(A) Kardinal
(B) LKW-Fahrer
(C) Rennfahrer
(D) Schauspieler
(E) Regisseur

6. Die Tierärztin ist …
(A) fordernd
(B) flexibel
(C) sanftmütig
(D) freundlich
(E) frustriert

7. Die Diagnose für den Automechaniker lautet …
(A) Schwindel und Taumel
(B) Wirbelgleiten
(C) Mandelentzündung
(D) Husten
(E) Epilepsie

8. Der an Epilepsie erkrankte Patient ist …
(A) fordernd
(B) freundlich
(C) sanftmütig
(D) gewieft
(E) abergläubisch

9. Der exzentrische Patient heißt …
(A) Gelb
(B) Vogel
(C) Mauser
(D) Hahr
(E) Grünne

10. Die Diagnose für den Zoowärter lautet …
(A) Epilepsie
(B) Bandscheibenschäden
(C) Gelenkentzündung
(D) Schizophrenie
(E) Husten

11. Die ca. 30-jährige Patientin leidet an …
(A) Lungenentzündung
(B) Schwindel und Taumel
(C) Husten
(D) Epilepsie
(E) Schizophrenie

12. Frau Vogel ist von Beruf …
(A) Schulbus-Fahrerin
(B) Orgelspielerin
(C) Tierärztin
(D) Rennfahrerin
(E) Intendantin

13. Herr Ross ist von Beruf …
(A) Regisseur
(B) Zoowärter
(C) LKW-Fahrer
(D) Streckenwart
(E) Schauspieler

14. Der Patient mit der vaskulären Demenz ist …
(A) ca. 20 Jahre
(B) ca. 25 Jahre
(C) ca. 30 Jahre
(D) ca. 40 Jahre
(E) ca. 66 Jahre

15. Die Patientin mit Band-scheibenschäden ist …
(A) freundlich
(B) großspurig
(C) frustriert
(D) folgsam
(E) sanftmütig

16. Frau Fell ist …
(A) gewieft
(B) fordernd
(C) flexibel
(D) abgedreht
(E) freundlich

17. Die Diagnose für den Regisseur lautet …
(A) Lungenentzündung
(B) Mandelentzündung
(C) Wirbelgleiten
(D) Schwindel und Taumel
(E) Herzinfarkt

18. Der an Gelenkentzündung erkrankte Patient ist …
(A) behaart
(B) frustriert
(C) freundlich
(D) abergläubisch
(E) flexibel

19. Der großspurige Patient heißt …
(A) Roser
(B) Gelb
(C) Wollpert
(D) Grünne
(E) Lippe

20. Die Diagnose für den Kardinal lautet …
(A) Lebertransplantation
(B) Husten
(C) Schizophrenie
(D) vaskuläre Demenz
(E) Herzinfarkt

12. SIMULATION 12 – FIGUREN LERNEN

Bearbeitungszeit: 5 Minuten

1.

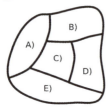

2.

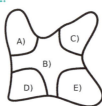

3.

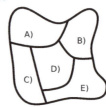

4.

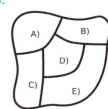

5.

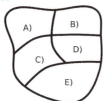

6.

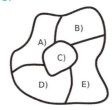

7.

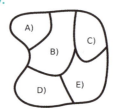

8.

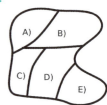

9.

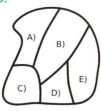

10.

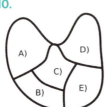

11.

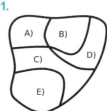

12.

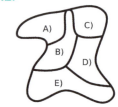

13.

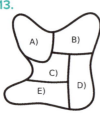

14.

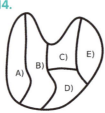

15.

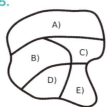

16.

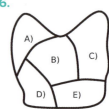

17.

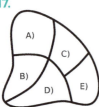

18.

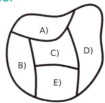

19.

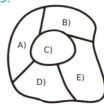

20.

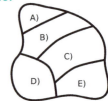

SIMULATION 12 – FAKTEN LERNEN

Bearbeitungszeit: 7 Minuten

1. Die religiöse Patientin ist von Beruf …

(A) Erzieherin
(B) Hausfrau
(C) Tierpflegerin
(D) Hubschrauberpilotin
(E) Kellnerin

2. Der Milchbauer ist …

(A) aggressiv
(B) ängstlich
(C) verantwortungslos
(D) klug
(E) faul

3. Das Alter des Bergführers beträgt …

(A) ca. 21 Jahre
(B) ca. 35 Jahre
(C) ca. 45 Jahre
(D) ca. 55 Jahre
(E) ca. 67 Jahre

4. Der Milchbauer leidet an …

(A) Kopfschmerzen
(B) Persönlichkeitstörung
(C) Herzinfarkt
(D) Rundrücken
(E) Angststörung

5. Der Patient mit Lungenembolie ist beruflich …

(A) Pizzabäcker
(B) Obsthändler
(C) Marktschreier
(D) Bergführer
(E) Lebensmittelkontrolleur

6. Die Hubschrauberpilotin ist …

(A) lebensfroh
(B) faul
(C) abwertend
(D) klug
(E) ängstlich

7. Die Diagnose für den Grundschullehrer lautet …

(A) Ausschlag
(B) Herzinfarkt
(C) Parkinson-Syndrom
(D) Lungenembolie
(E) Lungentumor

8. Der an Angststörung erkrankte Patient ist …

(A) kindisch
(B) ängstlich
(C) konservativ
(D) rebellisch
(E) faul

9. Der aggressive Patient heißt …

(A) Busch
(B) Baum
(C) Pohl
(D) Finne
(E) Schnur

10. Die Diagnose für den Bergführer lautet …

(A) Gelenksentzündungen
(B) Persönlichkeitstörung
(C) Lungenembolie
(D) Rundrücken
(E) Ausschlag

11. Die ca. 45-jährige Patientin leidet an …

(A) Ausschlag
(B) Fieber
(C) Rundrücken
(D) Herzinfarkt
(E) Parkinson-Syndrom

12. Der Name des sportlichen Patienten lautet …

(A) Pohl
(B) Wehninger
(C) Busch
(D) Schnur
(E) Sailer

13. Herr Bänder ist von Beruf …

(A) Pizzabäcker
(B) Milchbauer
(C) Bergführer
(D) Grundschullehrer
(E) Marktschreier

14. Der Patient mit dem Fieber ist …

(A) rebellisch
(B) abwertend
(C) lebensfroh
(D) still
(E) redelustig

15. Die Patientin, die eine Pilzinfektion hat, ist …

(A) religiös
(B) abwertend
(C) verständnislos
(D) lebensfroh
(E) zurückhaltend

16. Frau Kurtz ist …

(A) redelustig
(B) faul
(C) abwertend
(D) klug
(E) ängstlich

17. Die Diagnose für die Tierpflegerin lautet …

(A) Pilzinfektion
(B) Herzinfarkt
(C) Parkinson-Syndrom
(D) Lungenembolie
(E) Lungentumor

18. Die Patientin mit der Übelkeit ist von Beruf …

(A) Hausfrau
(B) Kellnerin
(C) Erzieherin
(D) Hubschrauberpilotin
(E) Tierpflegerin

19. Die Diagnose für Frau Roth lautet …

(A) Pilzinfektion
(B) Herzinfarkt
(C) Parkinson-Syndrom
(D) Lungenembolie
(E) Lungentumor

20. Der Patient mit der Persönlichkeitsstörung ist …

(A) rebellisch
(B) abwertend
(C) lebensfroh
(D) konservativ
(E) redelustig

13. SIMULATION 13 – FIGUREN LERNEN

Bearbeitungszeit: 5 Minuten

1.
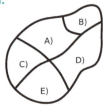

2.
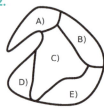

3.
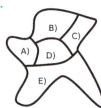

4.
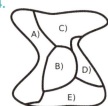

5.
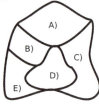

6.
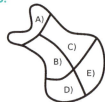

7.
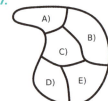

8.
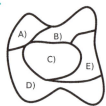

9.
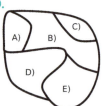

10.
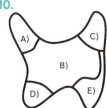

11.
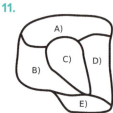

12.
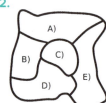

13.
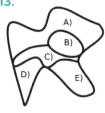

14.
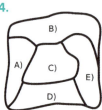

15.
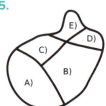

16.
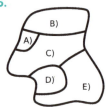

17.
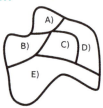

18.
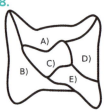

19.
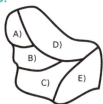

20.
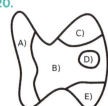

SIMULATION 13 – FAKTEN LERNEN

Bearbeitungszeit: 7 Minuten

1. Die launische Patientin ist von Beruf …
(A) Architektin
(B) Galeristin
(C) Dachdeckerin
(D) Kellnerin
(E) Kajütenköchin

2. Die Diagnose für den Maurer lautet …
(A) Herzinfarkt
(B) Augenentzündung
(C) Herzversagen
(D) Herzrhythmusstörung
(E) Haarausfall

3. Das Alter des Kran-führers beträgt …
(A) ca. 23 Jahre
(B) ca. 33 Jahre
(C) ca. 43 Jahre
(D) ca. 65 Jahre
(E) ca. 70 Jahre

4. Der Statiker hat …
(A) Hühneraugen
(B) Husten
(C) Warzen
(D) Akne
(E) eine Mandelentzündung

5. Der Patient mit der Augenentzündung ist von Beruf …
(A) Bademeister
(B) Matrose
(C) Kapitän
(D) Spengler
(E) Maurer

6. Die Kellnerin ist …
(A) geizig
(B) gelassen
(C) maßlos
(D) vulgär
(E) verklemmt

7. Die Diagnose für den Zeitungsjungen lautet …
(A) Akne
(B) Haarausfall
(C) Hypotonie
(D) Herzinfarkt
(E) Hirninfarkt

8. Der an Haarausfall erkrankte Patient ist …
(A) geizig
(B) bedürfnislos
(C) lebensfroh
(D) gewissenhaft
(E) zufrieden

9. Der ausgelassene Patient heißt …
(A) Schröder
(B) Merkel
(C) Kohl
(D) Flocke
(E) Pfeffer

10. Die Diagnose für den Bademeister lautet …
(A) Warzen
(B) Herzrhythmusstörung
(C) Herzversagen
(D) Augenentzündung
(E) Alzheimer-Krankheit

11. Die ca. 33-jährige Patientin leidet an …
(A) Hypotonie
(B) Hühneraugen
(C) Angina pectoris
(D) Mandelentzündung
(E) Husten

12. Der zufriedene Patient heißt …
(A) Schröder
(B) Schnee
(C) Kohl
(D) Merkel
(E) Salzer

13. Herr Salzer ist von Beruf …
(A) Journalist
(B) Matrose
(C) Kapitän
(D) Bademeister
(E) Zeitungsjunge

14. Der Patient mit dem Hirninfarkt ist …
(A) zufrieden
(B) sarkastisch
(C) vulgär
(D) gelassen
(E) ausgelassen

15. Die Patientin mit Ohrenentzündung ist …
(A) geizig
(B) gelassen
(C) lebensfroh
(D) ausgelassen
(E) gewissenhaft

16. Frau Hoch ist …
(A) ahnungslos
(B) verklemmt
(C) reizbar
(D) schüchtern
(E) launisch

17. Die Diagnose für die Galeristin lautet …
(A) Husten
(B) Herzversagen
(C) Augenentzündung
(D) Mandelentzündung
(E) Akne

18. Die Patientin mit Hypotonie ist von Beruf …
(A) Architektin
(B) Kellnerin
(C) Kajütenköchin
(D) Galeristin
(E) Dachdeckerin

19. Die Diagnose für Frau Süß lautet …
(A) Herzversagen
(B) Husten
(C) Akne
(D) Warzen
(E) Mandelentzündung

20. Der Patient mit Herz-rhythmusstörung ist …
(A) zufrieden
(B) vulgär
(C) lebensfroh
(D) gelassen
(E) ausgelassen

14. SIMULATION 14 – FIGUREN LERNEN

Bearbeitungszeit: 5 Minuten

1.
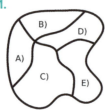

2.
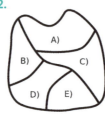

3.
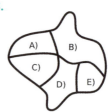

4.
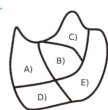

5.
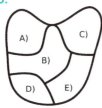

6.
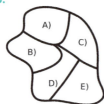

7.
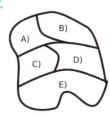

8.
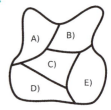

9.
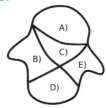

10.
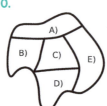

11.
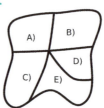

12.
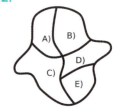

13.
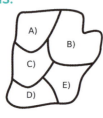

14.
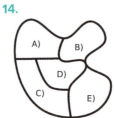

15.
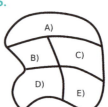

16.
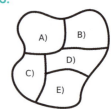

17.
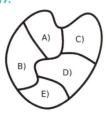

18.
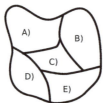

19.
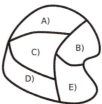

20.
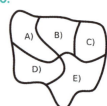

SIMULATION 14 – FAKTEN LERNEN

Bearbeitungszeit: 7 Minuten

1. Die aufbrausende Patientin ist von Beruf …
(A) Diätologin
(B) Verlagslektorin
(C) Schriftstellerin
(D) Einkäuferin
(E) Dekorateurin

2. Die Diagnose für den Bildhauer lautet …
(A) Vorhofflimmern
(B) akutes Lungenversagen
(C) Tuberkulose
(D) Kammerflattern
(E) Lebertumor

3. Das Alter des Dolmetschers beträgt …
(A) ca. 25 Jahre
(B) ca. 30 Jahre
(C) ca. 37 Jahre
(D) ca. 45 Jahre
(E) ca. 65 Jahre

4. Der Drucker leidet an …
(A) Polypen
(B) akutes Lungenversagen
(C) Tuberkulose
(D) Lungenentzündung
(E) Lebertumor

5. Der Patient mit der Leberzirrhose ist von Beruf …
(A) Devisenhändler
(B) Grafiker
(C) Ernährungsberater
(D) Küchengehilfe
(E) Dolmetscher

6. Die Einkäuferin ist …
(A) boshaft
(B) locker
(C) hilfsbereit
(D) gespannt
(E) gefühlskalt

7. Die Diagnose für den Papierhersteller lautet …
(A) Vorhofflimmern
(B) Gallensteine
(C) Heroinintoxikation
(D) Bewusstseinsverlust
(E) Lebertumor

8. Der an Lebertumor erkrankte Patient ist …
(A) wagemutig
(B) garstig
(C) aufbrausend
(D) smart
(E) boshaft

9. Der zähe Patient heißt …
(A) Helmer
(B) Winkler
(C) Bächling
(D) Vogel
(E) Flüssner

10. Die Diagnose für den Devisenhändler lautet …
(A) Polypen
(B) akutes Lungenversagen
(C) Tuberkulose
(D) Tumor der Gallenblase
(E) Lebertumor

11. Der ca. 37-jährige Patient leidet an …
(A) Mundgeruch
(B) Tuberkulose
(C) Leberzirrhose
(D) Lebertumor
(E) Dehydration

12. Der garstige Patient heißt …
(A) Helmer
(B) Hoser
(C) Winkler
(D) Ecke
(E) Frohsinn

13. Herr Frohsinn ist von Beruf …
(A) Dolmetscher
(B) Papierhersteller
(C) Ernährungsberater
(D) Schatzmeister
(E) Devisenhändler

14. Der Patient mit dem Mundgeruch ist …
(A) gefühlskalt
(B) wagemutig
(C) locker
(D) gespannt
(E) bedacht

15. Die Patientin, die eine Hepatitis hat, ist …
(A) boshaft
(B) zartbesaitet
(C) hilfsbereit
(D) gespannt
(E) gefühlskalt

16. Frau Hoser ist …
(A) wagemutig
(B) garstig
(C) aufbrausend
(D) smart
(E) boshaft

17. Die Diagnose der Copy-shopbesitzerin ist …
(A) Vorhofflimmern
(B) Dehydration
(C) Heroinintoxikation
(D) Bewusstseinsverlust
(E) Lebertumor

18. Die Patientin mit den Gallensteinen ist von Beruf …
(A) Diätologin
(B) Verlagslektorin
(C) Schriftstellerin
(D) Einkäuferin
(E) Dekorateurin

19. Die Diagnose für Frau Schaf lautet …
(A) Vorhofflimmern
(B) Dehydration
(C) Heroinintoxikation
(D) Bewusstseinsverlust
(E) Lebertumor

20. Der Patient mit den Polypen ist …
(A) hilfsbereit
(B) locker
(C) garstig
(D) bedacht
(E) gefühlskalt

15. SIMULATION 15 – FIGUREN LERNEN

Bearbeitungszeit: 5 Minuten

1.
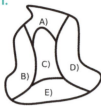

2.
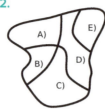

3.
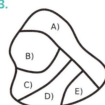

4.
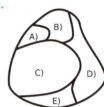

5.
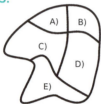

6.
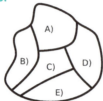

7.
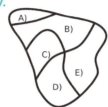

8.
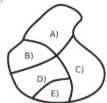

9.
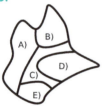

10.
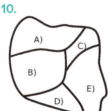

11.
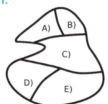

12.
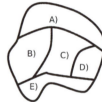

13.
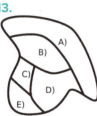

14.
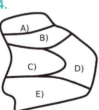

15.
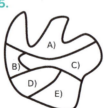

16.
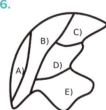

17.
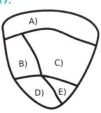

18.
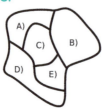

19.
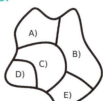

20.
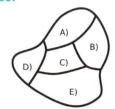

SIMULATION 15 – FAKTEN LERNEN

Bearbeitungszeit: 7 Minuten

1. Die vegetarische Patientin ist von Beruf …
(A) Minenarbeiterin
(B) Schirmmacherin
(C) Tätowiererin
(D) Tischlerin
(E) Schichtleiterin

2. Die Diagnose für den Goldschmied lautet …
(A) Hodentumor
(B) Gicht
(C) Pusteln
(D) Unterkieferbruch
(E) Grippe

3. Das Alter der Tätowiererin beträgt …
(A) ca. 25 Jahre
(B) ca. 35 Jahre
(C) ca. 45 Jahre
(D) ca. 60 Jahre
(E) ca. 65 Jahre

4. Frau Rathmann ist von Beruf …
(A) Minenarbeiterin
(B) Schirmmacherin
(C) Tätowiererin
(D) Tischlerin
(E) Schichtleiterin

5. Der an einem Schädel-Hirn-Trauma leidende Patient ist von Beruf …
(A) Zeichner
(B) Verkäufer
(C) Arzt
(D) Firmenbesitzer
(E) Ingenieur

6. Die Diagnose für Herrn Wiener lautet …
(A) Nasenbluten
(B) Alkoholvergiftung
(C) Muskelfaserriss
(D) Hodentumor
(E) Prellung

7. Die ca. 60-jährige Patientin leidet an …
(A) Sehschwäche
(B) Gicht
(C) Nasenbeinbruch
(D) Nasenbluten
(E) Alkoholvergiftung

8. Herr Krupp ist …
(A) ca. 25 Jahre
(B) ca. 35 Jahre
(C) ca. 45 Jahre
(D) ca. 60 Jahre
(E) ca. 65 Jahre

9. Der Patient mit der Alkoholvergiftung heißt …
(A) Stahl
(B) Eisner
(C) Krupp
(D) Schmied
(E) Müller

10. Der Patient mit Lungen-Metastasen ist …
(A) eitel
(B) im Endstadium
(C) in der Aufwachstation
(D) vegetarisch
(E) sachlich

11. Die an Muskelfaserriss erkrankte Patientin ist von Beruf …
(A) Minenarbeiterin
(B) Schirmmacherin
(C) Tätowiererin
(D) Tischlerin
(E) Schichtleiterin

12. Die Minenarbeiterin heißt …
(A) Adel
(B) Wiener
(C) Herzog
(D) Bozner
(E) Tölz

13. Der Zeichner ist …
(A) scheinheilig
(B) im Endstadium
(C) in der Aufwachstation
(D) vegetarisch
(E) zuversichtlich

14. Der Patient im Endstadium heißt …
(A) Rathmann
(B) Waldmann
(C) Schmied
(D) Bauer
(E) Eisner

15. Der an Nasenbluten erkrankte Patient ist …
(A) empfindlich
(B) geschieden
(C) sportlich
(D) zuversichtlich
(E) kommunikativ

16. Das Alter der sportlichen Patientin beträgt …
(A) ca. 25 Jahre
(B) ca. 35 Jahre
(C) ca. 45 Jahre
(D) ca. 60 Jahre
(E) ca. 65 Jahre

17. Die empfindliche Patientin ist von Beruf …
(A) Mienenarbeiterin
(B) Schirmmacherin
(C) Tätowiererin
(D) Tischlerin
(E) Schichtleiterin

18. Der Juwelier heißt …
(A) Müller
(B) Wiener
(C) Stahl
(D) Adel
(E) Waldmann

19. Die Diagnose für den Arzt lautet …
(A) Hodentumor
(B) Gicht
(C) Pusteln
(D) Unterkieferbruch
(E) Grippe

20. Die Tätowiererin ist …
(A) religiös
(B) scheinheilig
(C) empfindlich
(D) engstirnig
(E) entschlossen

16. SIMULATION 16 – FIGUREN LERNEN

Bearbeitungszeit: 5 Minuten

1.
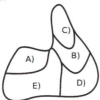

2.
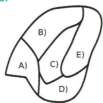

3.
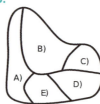

4.
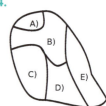

5.
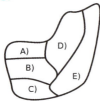

6.
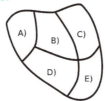

7.
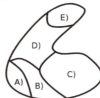

8.

9.
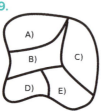

10.
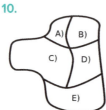

11.
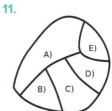

12.
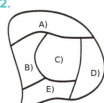

13.
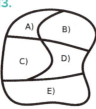

14.
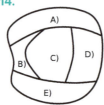

15.
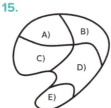

16.
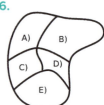

17.
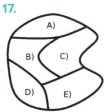

18.
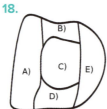

19.
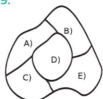

20.
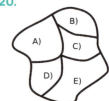

SIMULATION 16 – FAKTEN LERNEN

Bearbeitungszeit: 7 Minuten

1. **Die unausgeglichene Patientin ist von Beruf …**
(A) Augenärztin
(B) Pilotin
(C) Polizistin
(D) Touristikfachangestellte
(E) Frührentnerin

2. **Die Diagnose für den Feuerwehrmann lautet …**
(A) Halswirbelverletzung
(B) Hirnhautentzündung
(C) Wirbelgleiten
(D) Schleudertrauma
(E) AIDS

3. **Das Alter der Pilotin beträgt …**
(A) ca. 26 Jahre
(B) ca. 36 Jahre
(C) ca. 42 Jahre
(D) ca. 52 Jahre
(E) ca. 62 Jahre

4. **Frau Herzog ist von Beruf …**
(A) Augenärztin
(B) Pilotin
(C) Polizistin
(D) Touristikfachangestellte
(E) Frührentnerin

5. **Der Patientin mit Hörsturz ist von Beruf …**
(A) Optiker
(B) Animateur
(C) Reiseleiter
(D) Blindenführer
(E) Beamter

6. **Die Diagnose für Herrn Torh lautet …**
(A) Wirbelgleiten
(B) Hörsturz
(C) Schwindel
(D) Schleudertrauma
(E) AIDS

7. **Die ca. 36-jährige Patientin leidet an …**
(A) Hautausschlag
(B) Knieschmerzen
(C) Keuchhusten
(D) Schwindel
(E) Koma

8. **Herr Lordt ist …**
(A) ca. 26 Jahre
(B) ca. 36 Jahre
(C) ca. 42 Jahre
(D) ca. 52 Jahre
(E) ca. 62 Jahre

9. **Der Patient mit Keuchhusten heißt …**
(A) Kalter
(B) Hitzig
(C) Zaar
(D) Herzog
(E) Fuchs

10. **Der Patient mit den Knieschmerzen ist …**
(A) glücklich
(B) frech
(C) freundlich
(D) bedrückt
(E) kumpelhaft

11. **Die Patientin mit Gedächtnislücken ist …**
(A) Augenärztin
(B) Pilotin
(C) Polizistin
(D) Touristikfachangestellte
(E) Frührentnerin

12. **Die Augenärztin heißt …**
(A) Kalter
(B) Hitzig
(C) Lordt
(D) Wiese
(E) Heilig

13. **Der Optiker ist …**
(A) aufbrausend
(B) kontaktfreudig
(C) glücklich
(D) furchtlos
(E) frech

14. **Der argwöhnische Patient heißt …**
(A) Vogel
(B) Fuchs
(C) Voicht
(D) Käfer
(E) Ballack

15. **Der an AIDS erkrankte Patient ist …**
(A) kontaktfreudig
(B) bedürfnislos
(C) freundlich
(D) bedrückt
(E) kumpelhaft

16. **Das Alter der kumpelhaften Patientin beträgt …**
(A) ca. 26 Jahre
(B) ca. 36 Jahre
(C) ca. 42 Jahre
(D) ca. 52 Jahre
(E) ca. 62 Jahre

17. **Die bedrückte Patientin ist von Beruf …**
(A) Augenärztin
(B) Pilotin
(C) Polizistin
(D) Touristikfachangestellte
(E) Frührentnerin

18. **Die Pilotin heißt …**
(A) Kreuzer
(B) Heilig
(C) Krist
(D) Kalter
(E) Hitzig

19. **Die Diagnose für den Straßenkehrer lautet …**
(A) Gedächtnislücken
(B) Keuchhusten
(C) formale Denkstörung
(D) Hautausschlag
(E) Schwindel

20. **Die Pilotin ist …**
(A) freundlich
(B) glücklich
(C) furchtlos
(D) unausgeglichen
(E) frech

17. SIMULATION 17 – FIGUREN LERNEN

Bearbeitungszeit: 5 Minuten

1.
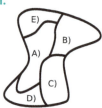

2.
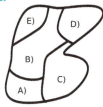

3.
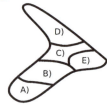

4.
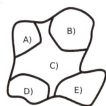

5.
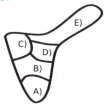

6.
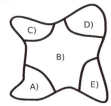

7.
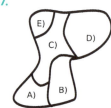

8.
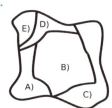

9.
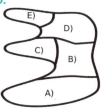

10.
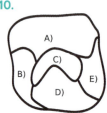

11.
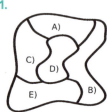

12.
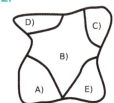

13.
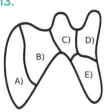

14.
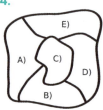

15.
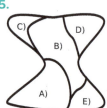

16.
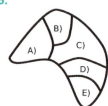

17.
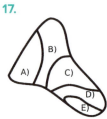

18.
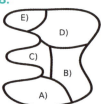

19.
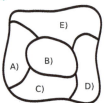

20.
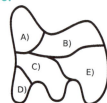

SIMULATION 17 – FAKTEN LERNEN

Bearbeitungszeit: 7 Minuten

1. Die boshafte Patientin ist von Beruf …

(A) Biologin
(B) Krankenschwester
(C) Plantagenarbeiterin
(D) Hebamme
(E) Kellnerin

2. Die Diagnose für den Notarzt lautet …

(A) Sodbrennen
(B) Allergie
(C) grauer Star
(D) Glaukom
(E) Schlafstörungen

3. Das Alter der Kellnerin beträgt …

(A) ca. 29 Jahre
(B) ca. 32 Jahre
(C) ca. 52 Jahre
(D) ca. 62 Jahre
(E) ca. 72 Jahre

4. Frau Adel ist von Beruf …

(A) Mediengestalterin
(B) Krankenschwester
(C) Plantagenarbeiterin
(D) Informatikerin
(E) Kellnerin

5. Der an Migräne leidende Patient ist von Beruf …

(A) Mathematiker
(B) Chemiker
(C) Notarzt
(D) Koch
(E) Küchengehilfe

6. Die Diagnose für Herrn Munter lautet …

(A) Sodbrennen
(B) Allergie
(C) grauer Star
(D) Glaukom
(E) Schlafstörungen

7. Die ca. 62-jährige Patientin leidet an …

(A) Jodmangel
(B) Hautausschlag
(C) Heuschnupfen
(D) Osteoporose
(E) Glaukom

8. Herr Kindle ist …

(A) ca. 29 Jahre
(B) ca. 32 Jahre
(C) ca. 52 Jahre
(D) ca. 62 Jahre
(E) ca. 72 Jahre

9. Der Patient mit Fettleibigkeit heißt …

(A) Ritter
(B) Adel
(C) Ross
(D) Munter
(E) Ohnesorg

10. Der Patient mit Kopfschmerzen ist …

(A) faul
(B) stark
(C) zufrieden
(D) besonnen
(E) boshaft

11. Die an Jodmangel erkrankte Patientin ist von Beruf …

(A) Biologin
(B) Krankenschwester
(C) Mediengestalterin
(D) Informatikerin
(E) Kellnerin

12. Die Mediengestalterin heißt …

(A) Fladen
(B) Metzger
(C) Fleischner
(D) Wurst
(E) Manner

13. Der Kaffeeröster ist …

(A) grimmig
(B) gutgläubig
(C) zufrieden
(D) faul
(E) chaotisch

14. Der nachdenkliche Patient heißt …

(A) Brodt
(B) Fröhle
(C) Munter
(D) Fleischer
(E) Ross

15. Der an Schlafstörungen erkrankte Patient ist …

(A) herzlich
(B) gutgläubig
(C) stark
(D) neidisch
(E) bestimmend

16. Das Alter der musikalischen Patientin beträgt …

(A) ca. 29 Jahre
(B) ca. 32 Jahre
(C) ca. 52 Jahre
(D) ca. 62 Jahre
(E) ca. 72 Jahre

17. Die besonnene Patientin ist von Beruf …

(A) Biologin
(B) Krankenschwester
(C) Hebamme
(D) Informatikerin
(E) Mediengestalterin

18. Die Hebamme heißt …

(A) Fladen
(B) Metzger
(C) Fleischner
(D) Wurst
(E) Manner

19. Die Diagnose für den Kaffeeröster lautet …

(A) Sodbrennen
(B) Fettleibigkeit
(C) grauer Star
(D) Sehstörung
(E) Schlafstörungen

20. Die Krankenschwester ist …

(A) dankbar
(B) boshaft
(C) bestimmend
(D) motiviert
(E) faul

18. SIMULATION 18 – FIGUREN LERNEN

Bearbeitungszeit: 5 Minuten

1.
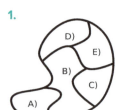

2.
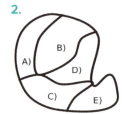

3.
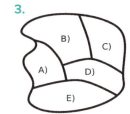

4.
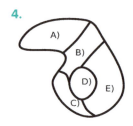

5.
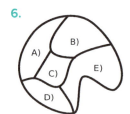

6.
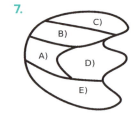

7.
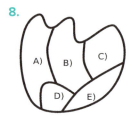

8.
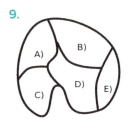

9.
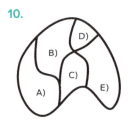

10.
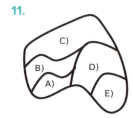

11.
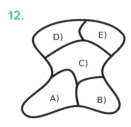

12.
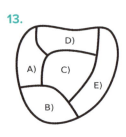

13.
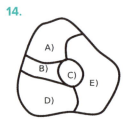

14.
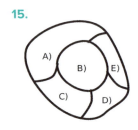

15.
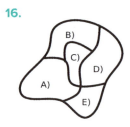

16.
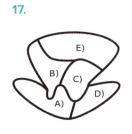

17.
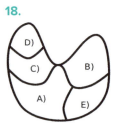

18.
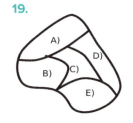

19.
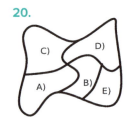

20.

SIMULATION 18 – FAKTEN LERNEN

Bearbeitungszeit: 7 Minuten

1. Die gelassene Patientin ist von Beruf …
(A) Psychologin
(B) Friseurin
(C) Kosmetikerin
(D) Bauleiterin
(E) Vermieterin

2. Die Diagnose für den Kranführer lautet …
(A) Bluthochdruck
(B) Krummrücken
(C) Zuckerkrank
(D) Bluterkrankheit
(E) Magenentzündung

3. Das Alter der Friseurin beträgt …
(A) ca. 22 Jahre
(B) ca. 30 Jahre
(C) ca. 40 Jahre
(D) ca. 50 Jahre
(E) ca. 60 Jahre

4. Frau Hofmann ist von Beruf …
(A) Stuckateurin
(B) Friseurin
(C) Kosmetikerin
(D) Bauleiterin
(E) Bootsbauerin

5. Der an Bluterkrankheit leidende Patient ist von Beruf …
(A) Kapitän
(B) Masseur
(C) Matrose
(D) Scheidungsanwalt
(E) Kranführer

6. Die Diagnose für den Hausmeister lautet …
(A) Bluthochdruck
(B) Magenentzündung
(C) Verwirrtheit
(D) Brustschmerzen
(E) Rückenschmerzen

7. Die ca. 40-jährige Patientin leidet an …
(A) Gewebsneubildung
(B) Brustschmerzen
(C) Krummrücken
(D) Besenreißer
(E) Blasenkrebs

8. Herr Maier ist …
(A) ca. 22 Jahre
(B) ca. 30 Jahre
(C) ca. 40 Jahre
(D) ca. 50 Jahre
(E) ca. 60 Jahre

9. Der Patient mit der Impfung heißt …
(A) Weber
(B) Schneider
(C) Neumann
(D) Hartmann
(E) Krüger

10. Der Patient mit akuter Bronchitis ist …
(A) höflich
(B) leise
(C) optimistisch
(D) launisch
(E) bescheiden

11. Die an Stoffwechsel- störung erkrankte Pati- entin ist von Beruf …
(A) Eheberaterin
(B) Friseurin
(C) Kosmetikerin
(D) Bauleiterin
(E) Vermieterin

12. Die Psychologin heißt …
(A) Weber
(B) Schneider
(C) Neumann
(D) Hartmann
(E) Krüger

13. Der Masseur ist …
(A) gelassen
(B) leise
(C) optimistisch
(D) launisch
(E) bescheiden

14. Der seltsame Patient heißt …
(A) Hofmann
(B) Schmidt
(C) Schmitt
(D) Krüger
(E) Becher

15. Der an Verwirrtheit erkrankte Patient ist …
(A) hilfsbereit
(B) höflich
(C) abgedreht
(D) launisch
(E) selbstverliebt

16. Das Alter der zappeligen Patientin beträgt …
(A) ca. 22 Jahre
(B) ca. 30 Jahre
(C) ca. 40 Jahre
(D) ca. 50 Jahre
(E) ca. 60 Jahre

17. Die sexy Patientin ist von Beruf …
(A) Bootsbauerin
(B) Friseurin
(C) Kosmetikerin
(D) Bauleiterin
(E) Vermieterin

18. Die Vermieterin heißt …
(A) Hofmann
(B) Schmidt
(C) Schmitt
(D) Krüger
(E) Becher

19. Die Diagnose für den Immobilienmakler lautet …
(A) Bluthochdruck
(B) Krummrücken
(C) Impfung
(D) Bluterkrankheit
(E) Magenentzündung

20. Die Bootsbauerin ist …
(A) optimistisch
(B) abgedreht
(C) launisch
(D) selbstverliebt
(E) feminin

19. SIMULATION 19 – FIGUREN LERNEN

Bearbeitungszeit: 5 Minuten

1.
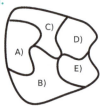

2.
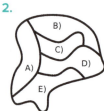

3.
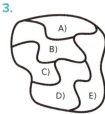

4.
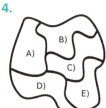

5.
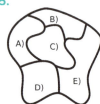

6.
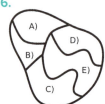

7.
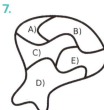

8.
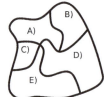

9.
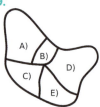

10.
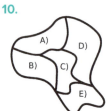

11.
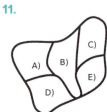

12.
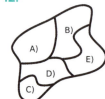

13.
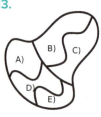

14.
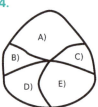

15.
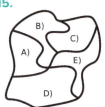

16.
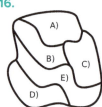

17.
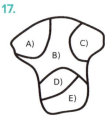

18.
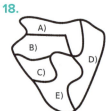

19.
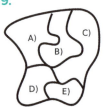

20.
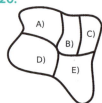

SIMULATION 19 – FAKTEN LERNEN

Bearbeitungszeit: 7 Minuten

1. Die jähzornige Patientin ist von Beruf …
(A) Model
(B) Gärtnerin
(C) Hostess
(D) Floristin
(E) Weinverkäuferin

2. Die Diagnose für den Bodybuilder lautet …
(A) Lungenembolie
(B) Raucherhusten
(C) Verbrennung
(D) Gicht
(E) Depression

3. Das Alter der Floristin beträgt …
(A) ca. 19 Jahre
(B) ca. 29 Jahre
(C) ca. 39 Jahre
(D) ca. 50 Jahre
(E) ca. 60 Jahre

4. Frau Lorenz ist von Beruf …
(A) Model
(B) Gärtnerin
(C) Hostess
(D) Floristin
(E) Weinverkäuferin

5. Der an Gicht leidende Patient ist von Beruf …
(A) Winzer
(B) Biologielaborant
(C) Maurer
(D) Fluglotse
(E) Bodybuilder

6. Die Diagnose für Herrn Schnell lautet …
(A) Verbrennung
(B) akuter Infekt
(C) Herzattacken
(D) Raucherhusten
(E) Lungenembolie

7. Die ca. 60-jährige Patientin leidet an …
(A) Schilddrüsenstörung
(B) Venenkrankheit
(C) Hautausschlag
(D) COPD
(E) Krampfadern

8. Herr Peters ist …
(A) ca. 19 Jahre
(B) ca. 29 Jahre
(C) ca. 39 Jahre
(D) ca. 50 Jahre
(E) ca. 60 Jahre

9. Der Patient mit COPD heißt …
(A) Braun
(B) Schnell
(C) Hefter
(D) Stiege
(E) Leiter

10. Der Patient mit Gicht ist …
(A) kindlich
(B) unfair
(C) humorlos
(D) Single
(E) verlogen

11. Die an Gallensteinen erkrankte Patientin ist von Beruf …
(A) Fliesenlegerin
(B) Gärtnerin
(C) Hostess
(D) Floristin
(E) Weinverkäuferin

12. Die Pilotin heißt …
(A) Flink
(B) Lahm
(C) Günther
(D) Blond
(E) Schwarzkopf

13. Der Biologielaborant ist …
(A) humorlos
(B) fleißig
(C) tollpatschig
(D) unentschlossen
(E) jähzornig

14. Der tollpatschige Patient heißt …
(A) Flink
(B) Schnell
(C) Hefter
(D) Stiege
(E) Günther

15. Der an Lungenembolie erkrankte Patient ist …
(A) fleißig
(B) unfair
(C) humorlos
(D) Single
(E) verheiratet

16. Das Alter der abgebrühten Patientin beträgt …
(A) ca. 19 Jahre
(B) ca. 29 Jahre
(C) ca. 39 Jahre
(D) ca. 50 Jahre
(E) ca. 60 Jahre

17. Die ironische Patientin ist von Beruf …
(A) Fliesenlegerin
(B) Gärtnerin
(C) Hostess
(D) Floristin
(E) Weinverkäuferin

18. Die Hostess heißt …
(A) Braun
(B) Schnell
(C) Hefter
(D) Stiege
(E) Leiter

19. Die Diagnose für den Dachdecker lautet …
(A) Depression
(B) Gallensteine
(C) Gicht
(D) Hautausschlag
(E) COPD

20. Die Hostess ist …
(A) verlogen
(B) schwanger
(C) verheiratet
(D) Single
(E) abgebrüht

20. SIMULATION 20 – FIGUREN LERNEN

Bearbeitungszeit: 5 Minuten

1.
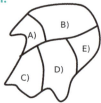

2.
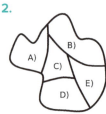

3.
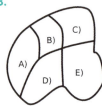

4.
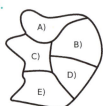

5.
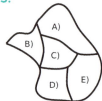

6.
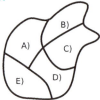

7.
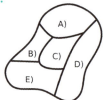

8.
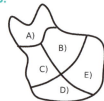

9.
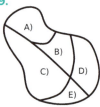

10.
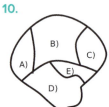

11.
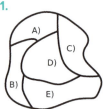

12.
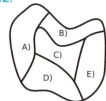

13.
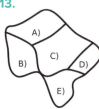

14.
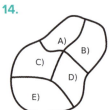

15.
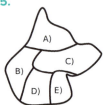

16.
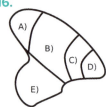

17.
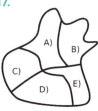

18.
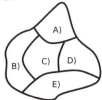

19.
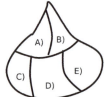

20.
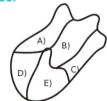

SIMULATION 20 – FAKTEN LERNEN

Bearbeitungszeit: 7 Minuten

1. Die unbekümmerte Patientin ist von Beruf …
   (A) Pharmazeutin
   (B) Päckchenlieferantin
   (C) Heilpraktikerin
   (D) Physiotherapeutin
   (E) Visagistin

2. Die Diagnose für den Schornsteinfeger lautet …
   (A) Schnittwunde
   (B) Leukämie
   (C) Kopfverletzung
   (D) Burnout
   (E) Warzen

3. Das Alter der Kosmetikerin beträgt …
   (A) ca. 17 Jahre
   (B) ca. 30 Jahre
   (C) ca. 42 Jahre
   (D) ca. 52 Jahre
   (E) ca. 72 Jahre

4. Frau Schubert ist von Beruf …
   (A) Kosmetikerin
   (B) Päckchenlieferantin
   (C) Heilpraktikerin
   (D) Physiotherapeutin
   (E) Visagistin

5. Der an Leukämie leidende Patient ist von Beruf …
   (A) Kurier
   (B) Postbote
   (C) Psychotherapeut
   (D) Minenarbeiter
   (E) Orthopäde

6. Die Diagnose für Herrn Dietrich lautet …
   (A) Quetschwunde
   (B) Leukämie
   (C) Kopfverletzung
   (D) Burnout
   (E) Warzen

7. Die ca. 17-jährige Patientin hat eine …
   (A) Vergiftung
   (B) hormonelle Störung
   (C) Mandel-OP
   (D) Leukozytose
   (E) Kopfverletzung

8. Herr Fuchs ist …
   (A) ca. 17 Jahre
   (B) ca. 30 Jahre
   (C) ca. 42 Jahre
   (D) ca. 52 Jahre
   (E) ca. 72 Jahre

9. Der Patient mit Schluckbeschwerden heißt …
   (A) Wolff
   (B) Otto
   (C) Heinrich
   (D) Schulze
   (E) Schubert

10. Der Patient mit dem Trommelfellriss ist …
    (A) eitel
    (B) humorlos
    (C) ungläubig
    (D) unbeirrbar
    (E) umtriebig

11. Die an Burnout erkrankte Patientin ist von Beruf …
    (A) Bohrinselarbeiterin
    (B) Päckchenlieferantin
    (C) Heilpraktikerin
    (D) Pharmazeutin
    (E) Visagistin

12. Die Visagistin heißt …
    (A) Dachs
    (B) Frank
    (C) Pohl
    (D) Böhm
    (E) Schulze

13. Der Postbote ist …
    (A) pflichtbewusst
    (B) putzig
    (C) umtriebig
    (D) ein Dauerpatient
    (E) überwiesen

14. Der originelle Patient heißt …
    (A) Wolff
    (B) Otto
    (C) Heinrich
    (D) Schulze
    (E) Schubert

15. Der Patient mit Ohrenschmalz ist …
    (A) originell
    (B) ordentlich
    (C) ungläubig
    (D) unbeirrbar
    (E) umtriebig

16. Das Alter der Dauerpatientin beträgt …
    (A) ca. 17 Jahre
    (B) ca. 30 Jahre
    (C) ca. 42 Jahre
    (D) ca. 52 Jahre
    (E) ca. 72 Jahre

17. Die trotzige Patientin ist von Beruf …
    (A) Pharmazeutin
    (B) Päckenlieferantin
    (C) Heilpraktikerin
    (D) Physiotherapeutin
    (E) Bohrinselarbeiterin

18. Die Heilpraktikerin heißt …
    (A) Wolff
    (B) Otto
    (C) Heinrich
    (D) Schulze
    (E) Schubert

19. Die Diagnose für den Maskenbildner lautet …
    (A) Nasenpolyp
    (B) Leukämie
    (C) Trommelfellriss
    (D) Burnout
    (E) Vergiftung

20. Die Kosmetikerin ist …
    (A) überwiesen
    (B) eitel
    (C) ungläubig
    (D) unbeirrbar
    (E) putzig

21. SIMULATION 21 – FIGUREN LERNEN

Bearbeitungszeit: 5 Minuten

1.
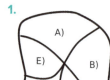

2.
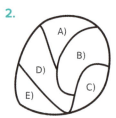

3.
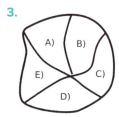

4.
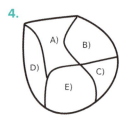

5.
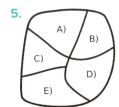

6.
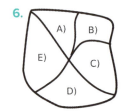

7.
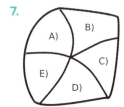

8.
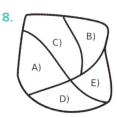

9.
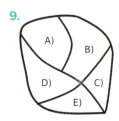

10.
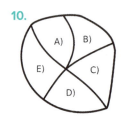

11.
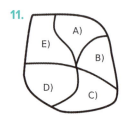

12.
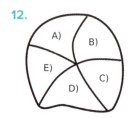

13.
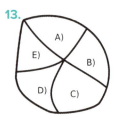

14.
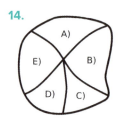

15.
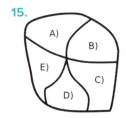

16.
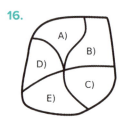

17.
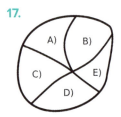

18.
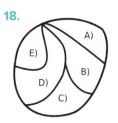

19.
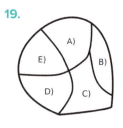

20.
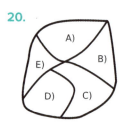

SIMULATION 21 – FAKTEN LERNEN

Bearbeitungszeit: 7 Minuten

1. Die freundliche Patientin ist von Beruf …
(A) Erzieherin
(B) Hostess
(C) Frührentnerin
(D) Schuhputzerin
(E) Studienrätin

2. Die Diagnose für den Bodybuilder lautet …
(A) Alkoholismus
(B) Alkoholabusus
(C) Arthrose
(D) COPD
(E) Arthristis

3. Das Alter der Kinderpflegerin beträgt …
(A) ca. 18 Jahre
(B) ca. 32 Jahre
(C) ca. 42 Jahre
(D) ca. 62 Jahre
(E) ca. 72 Jahre

4. Frau Gonzales ist von Beruf …
(A) Schuhputzerin
(B) Erzieherin
(C) Studienrätin
(D) Kinderpflegerin
(E) Hostess

5. Der an Grippe leidende Patient ist von Beruf …
(A) Schuster
(B) Kindheitspädagoge
(C) Rektor
(D) Invalide
(E) Schuhverkäufer

6. Die Diagnose für Herrn Madago lautet …
(A) Gicht
(B) Arthrose
(C) Arthritis
(D) Grippe
(E) Husten

7. Der ca. 32-jährige Patient hat eine …
(A) Impfung
(B) Grippe
(C) Alkoholintoxikation
(D) Gicht
(E) COPD

8. Herr Alaba ist …
(A) ca. 18 Jahre
(B) ca. 32 Jahre
(C) ca. 42 Jahre
(D) ca. 62 Jahre
(E) ca. 72 Jahre

9. Die Patientin mit der Impfung heißt …
(A) Aljinadi
(B) Madago
(C) Piker
(D) Costa
(E) Gonzales

10. Der Patient mit den Verbrennungen ist …
(A) lieb
(B) stolz
(C) geschieden
(D) ironisch
(E) in der Intensivstation

11. Die an Polypen erkrankte Patientin ist von Beruf …
(A) Frührentnerin
(B) Erzieherin
(C) Schuhputzerin
(D) Studienrätin
(E) Hostess

12. Die Studienrätin heißt …
(A) Drogba
(B) Adibalzo
(C) Müller
(D) Medau
(E) Stonzo

13. Der Beamte ist …
(A) glücklich
(B) frech
(C) in der Intensivstation
(D) ehrgeizig
(E) verklemmt

14. Der jüngere sachliche Patient heißt …
(A) Meika
(B) Neuer
(C) Costa
(D) Alumi
(E) Piker

15. Der an Mundgeruch erkrankte Patient ist …
(A) verklemmt
(B) ein Notfall
(C) geschieden
(D) frech
(E) in der Intensivstation

16. Das Alter des Notfallpatienten beträgt …
(A) ca. 18 Jahre
(B) ca. 32 Jahre
(C) ca. 42 Jahre
(D) ca. 62 Jahre
(E) ca. 72 Jahre

17. Die ältere sachliche Patientin ist von Beruf …
(A) Schuhputzerin
(B) Hostess
(C) Erzieherin
(D) Studienrätin
(E) Kinderpflegerin

18. Die Frührentnerin heißt …
(A) Medau
(B) Drogba
(C) Müller
(D) Adibalzo
(E) Gonzales

19. Die Diagnose für den Schuster lautet …
(A) Husten
(B) Verbrennungen
(C) Grippe
(D) Schluckbeschwerden
(E) COPD

20. Die Erzieherin ist …
(A) freundlich
(B) lustig
(C) laut
(D) glücklich
(E) sachlich

22. SIMULATION 22 – FIGUREN LERNEN

Bearbeitungszeit: 5 Minuten

1.
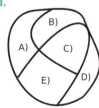

2.
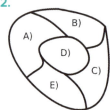

3.
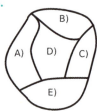

4.
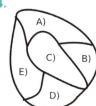

5.
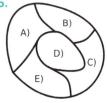

6.
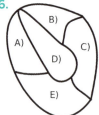

7.
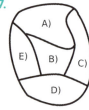

8.
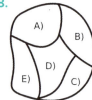

9.
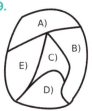

10.
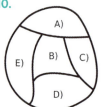

11.
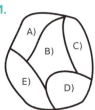

12.
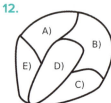

13.
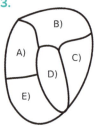

14.
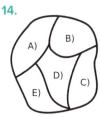

15.
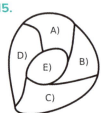

16.
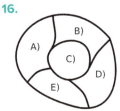

17.
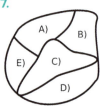

18.
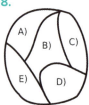

19.
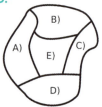

20.
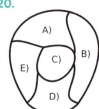

SIMULATION 22 – FAKTEN LERNEN

Bearbeitungszeit: 7 Minuten

1. **Die mollige Patientin ist von Beruf …**
(A) Fußpflegerin
(B) Polizistin
(C) Kellnerin
(D) Ordnungshüterin
(E) Masseurin

2. **Die Diagnose für den Lackierer lautet …**
(A) Haarausfall
(B) Husten
(C) Hypotonie
(D) Gedächtnislücken
(E) Arterielle Hypertonie

3. **Das Alter der Kellnerin beträgt …**
(A) ca. 20 Jahre
(B) ca. 35 Jahre
(C) ca. 47 Jahre
(D) ca. 60 Jahre
(E) ca. 70 Jahre

4. **Frau Heilig ist von Beruf …**
(A) Kellnerin
(B) Anwältin
(C) Polizistin
(D) Masseurin
(E) Malerin

5. **Der Patient mit art. Hypertonie ist …**
(A) Barkeeper
(B) Schreiner
(C) Staatsanwalt
(D) Saunawart
(E) Restaurantleiter

6. **Die Diagnose für Herrn Wallin lautet …**
(A) grauer Star
(B) Zungenkrebs
(C) Ohrenschmalz
(D) Hypertensive Krise
(E) Gedächtnislücken

7. **Die ca. 20-jährige Patientin hat eine …**
(A) Schizophrenie
(B) Augenentzündung
(C) Platzwunde
(D) vaskuläre Demenz
(E) Lungenembolie

8. **Herr Aster ist …**
(A) ca. 20 Jahre
(B) ca. 35 Jahre
(C) ca. 47 Jahre
(D) ca. 60 Jahre
(E) ca. 70 Jahre

9. **Der Patient mit Hypotonie heißt …**
(A) Lundberg
(B) Perez
(C) Kreuzer
(D) Aster
(E) Rodriguez

10. **Der Patient mit dem grauen Star ist …**
(A) willenlos
(B) verwitwet
(C) in der Ambulanz
(D) fleißig
(E) boshaft

11. **Die an Burnout erkrankte Patientin ist von Beruf …**
(A) Kellnerin
(B) Masseurin
(C) Polizistin
(D) Ordnungshüterin
(E) Malerin

12. **Die Malerin heißt …**
(A) Pettersson
(B) Fernandez
(C) Stammens
(D) Heilig
(E) Fontana

13. **Der Feuerwehrmann ist …**
(A) faul
(B) verwitwet
(C) aggressiv
(D) boshaft
(E) folgsam

14. **Der boshafte Patient heißt …**
(A) Aster
(B) Wallin
(C) Romano
(D) Lundberg
(E) Kreuzer

15. **Der an Husten erkrankte Patient ist …**
(A) faul
(B) willenlos
(C) folgsam
(D) aggressiv
(E) boshaft

16. **Das Alter der an vaskulären Demenz erkrankten Patientin beträgt …**
(A) ca. 20 Jahre
(B) ca. 35 Jahre
(C) ca. 47 Jahre
(D) ca. 60 Jahre
(E) ca. 70 Jahre

17. **Die ruhige Patientin ist von Beruf …**
(A) Ordnungshüterin
(B) Kellnerin
(C) Polzistin
(D) Masseurin
(E) Malerin

18. **Die Masseurin heißt …**
(A) Bäumle
(B) Pettersson
(C) Giordano
(D) Heilig
(E) Stammens

19. **Die Diagnose für den Richter lautet …**
(A) grauer Star
(B) Gedächtnislücken
(C) Haarausfall
(D) Husten
(E) Impotenz

20. **Die Kellnerin ist …**
(A) stabil
(B) gewieft
(C) gespannt
(D) ruhig
(E) mollig

23. SIMULATION 23 – FIGUREN LERNEN

Bearbeitungszeit: 5 Minuten

1.
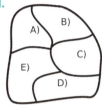

2.
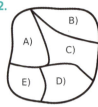

3.
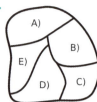

4.
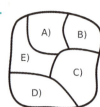

5.
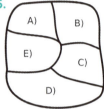

6.
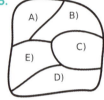

7.
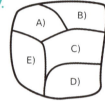

8.
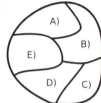

9.
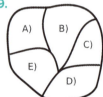

10.
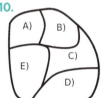

11.
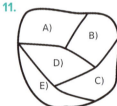

12.

13.
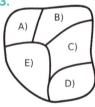

14.
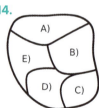

15.
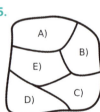

16.
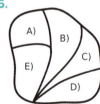

17.
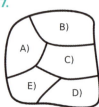

18.
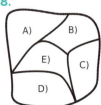

19.
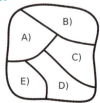

20.
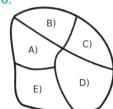

SIMULATION 23 – FAKTEN LERNEN

Bearbeitungszeit: 7 Minuten

1. Die bestimmende Patientin ist von Beruf …
(A) Immobilienmaklerin
(B) Schaffnerin
(C) Tischlerin
(D) Journalistin
(E) Volontärin

2. Die Diagnose für den Schweißer lautet …
(A) Erkältungsschnupfen
(B) Asbestose
(C) Nierensteine
(D) Lungenfibrose
(E) Mittelohrentzündung

3. Das Alter der Volontärin beträgt …
(A) ca. 19 Jahre
(B) ca. 25 Jahre
(C) ca. 32 Jahre
(D) ca. 55 Jahre
(E) ca. 67 Jahre

4. Frau Piaget ist von Beruf …
(A) Immobilienmaklerin
(B) Volontärin
(C) Ingenieurin
(D) Tischlerin
(E) Schaffnerin

5. Der an Asthma leidende Patient ist von Beruf …
(A) Busfahrer
(B) Vermieter
(C) Bauleiter
(D) Redakteur
(E) Analytiker

6. Die Diagnose für Frau Völler lautet …
(A) Lungenfibrose
(B) Erkältungsschnupfen
(C) Lungensarkoidose
(D) akute Bronchitis
(E) Schilddrüsenentzündung

7. Die ca. 19-jährige Patientin hat …
(A) Meningitis
(B) Gallensteine
(C) Karies
(D) Arthrose
(E) Tollwut

8. Frau Sjöberg ist …
(A) ca. 19 Jahre
(B) ca. 25 Jahre
(C) ca. 32 Jahre
(D) ca. 55 Jahre
(E) ca. 67 Jahre

9. Der Patient mit Nierensteinen heißt …
(A) Grünne
(B) Sjöberg
(C) Löw
(D) Klinsmann
(E) Erikson

10. Der Patient mit Erkältungsschnupfen ist …
(A) ökologisch
(B) angeberisch
(C) tolerant
(D) ängstlich
(E) misstrauisch

11. Die an Karies erkrankte Patientin ist von Beruf …
(A) Ingenieurin
(B) Tischlerin
(C) Journalistin
(D) Immobilienmaklerin
(E) Schaffnerin

12. Die Tischlerin heißt …
(A) Sjöberg
(B) Rot
(C) Völler
(D) Eklund
(E) Piaget

13. Der Elektriker ist …
(A) ein Dauerpatient
(B) ökologisch
(C) angeberisch
(D) misstrauisch
(E) ängstlich

14. Der tolerante Patient heißt …
(A) Amsel
(B) Freud
(C) Sjöberg
(D) Blauer
(E) Adel

15. Der an Asthma erkrankte Patient ist …
(A) ängstlich
(B) misstrauisch
(C) ein Dauerpatient
(D) tolerant
(E) ökologisch

16. Das Alter der Dauerpatienten beträgt …
(A) 19 und 25 Jahre
(B) 25 und 55 Jahre
(C) 32 und 55 Jahre
(D) 55 und 67 Jahre
(E) 19 und 67 Jahre

17. Die argwöhnische Patientin ist von Beruf …
(A) Tischlerin
(B) Ingenieurin
(C) Schaffnerin
(D) Journalistin
(E) Immobilienmaklerin

18. Die Volontärin heißt …
(A) Piaget
(B) Rot
(C) Olofsson
(D) Eklund
(E) König

19. Die Diagnose für den Chemielaborant lautet …
(A) Mittelohrentzündung
(B) Asthma
(C) Reisekrankheit
(D) Lungenfibrose
(E) Nierensteine

20. Die Tischlerin ist …
(A) gehässig
(B) leichtgläubig
(C) argwöhnisch
(D) bestimmend
(E) zimperlich

24. SIMULATION 24 – FIGUREN LERNEN

Bearbeitungszeit: 5 Minuten

1.
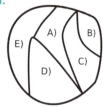

2.
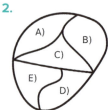

3.
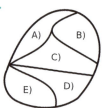

4.
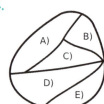

5.
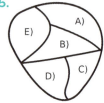

6.
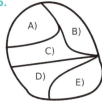

7.
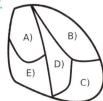

8.
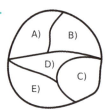

9.
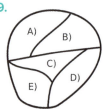

10.
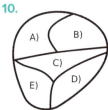

11.
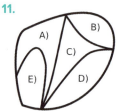

12.
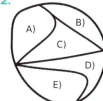

13.
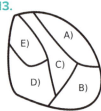

14.
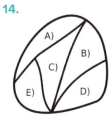

15.
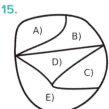

16.
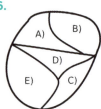

17.
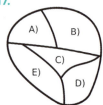

18.
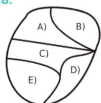

19.
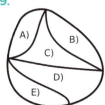

20.
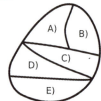

SIMULATION 24 – FAKTEN LERNEN

Bearbeitungszeit: 7 Minuten

1. Die ältere unbe- ständige Patientin ist von Beruf …
(A) Metallbauerin
(B) Hausdame
(C) Krankenschwester
(D) Feinwerkmechanikerin
(E) Receptionistin

2. Die Diagnose für den Barista lautet …
(A) Gürtelrose
(B) Tripper
(C) Diabetes mellitus
(D) Adipositas
(E) Lipödem

3. Das Alter der Hausdame beträgt …
(A) ca. 17 Jahre
(B) ca. 27 Jahre
(C) ca. 35 Jahre
(D) ca. 47 Jahre
(E) ca. 55 Jahre

4. Frau Franz ist von Beruf …
(A) Receptionisten
(B) Weinfachverkäuferin
(C) Krankenschwester
(D) Metallbauerin
(E) Unternehmensberaterin

5. Der jüngste eitle Patient ist von Beruf …
(A) Bänker
(B) Bilanzbuchhalter
(C) Mechatroniker
(D) Oberarzt
(E) Barista

6. Die Diagnose für Herrn Kappe lautet …
(A) Adipositas
(B) Gürtelrose
(C) Tuberkulose
(D) Diabetes mellitus
(E) Tripper

7. Die ca. 27-jährige Patientin hat eine/ einen
(A) Leberzirrhose
(B) Lymphödem
(C) Tuberkulose
(D) Bänderriss
(E) Tripper

8. Herr Huter ist …
(A) ca. 17 Jahre
(B) ca. 27 Jahre
(C) ca. 35 Jahre
(D) ca. 47 Jahre
(E) ca. 55 Jahre

9. Der Patient mit Gürtelrose heißt …
(A) Kappe
(B) Joseph
(C) Mijalovic
(D) Tscheva
(E) Wilhelm

10. Der Patient mit dem Leberversagen ist …
(A) genügsam
(B) eifrig
(C) gefühlvoll
(D) mies
(E) eitel

11. Die an Tuberkulose erkrankte Patientin ist von Beruf …
(A) Feinwerkmechanikerin
(B) Krankenschwester
(C) Unternehmensberaterin
(D) Hausdame
(E) Weinfachverkäuferin

12. Die Metallbauerin heißt …
(A) Mützke
(B) Beete
(C) Franz
(D) Bassyiouny
(E) Ivanova

13. Der Sommelier ist …
(A) mies
(B) gefühlvoll
(C) klug
(D) genügsam
(E) eifrig

14. Der verwirrte Patient heißt …
(A) Tscheva
(B) Gärtner
(C) Kappe
(D) Huter
(E) Mijalovic

15. Der an Diabetes mellitus erkrankte Patient ist …
(A) eitel
(B) eifrig
(C) verwirrt
(D) mies
(E) klug

16. Das Alter der Kranken- schwester beträgt …
(A) ca. 17 Jahre
(B) ca. 27 Jahre
(C) ca. 35 Jahre
(D) ca. 47 Jahre
(E) ca. 55 Jahre

17. Die clevere Patientin ist von Beruf …
(A) Metallbauerin
(B) Unternehmensberaterin
(C) Receptionistin
(D) Weinfachverkäuferin
(E) Krankenschwester

18. Die Hausdame heißt …
(A) Erden
(B) Bozanov
(C) Mützke
(D) Franz
(E) Ivanova

19. Die Diagnose für den Concierge lautet …
(A) Diabetes insipidus
(B) Gehirnerschütterung
(C) Bänderriss
(D) Leberversagen
(E) Tripper

20. Die Metallbauerin ist …
(A) gesellig
(B) eitel
(C) clever
(D) unbeständig
(E) wütend

25. SIMULATION 25 – FIGUREN LERNEN

Bearbeitungszeit: 5 Minuten

1.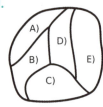

2.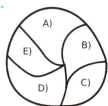

3.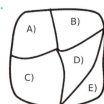

4.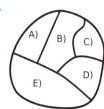

5.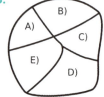

6.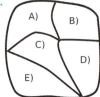

7.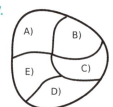

8.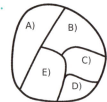

9.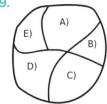

10.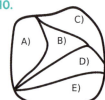

11.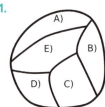

12.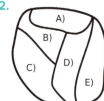

13.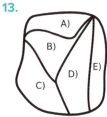

14.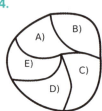

15.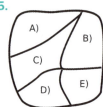

16.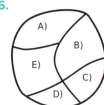

17.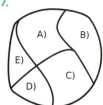

18.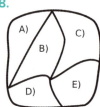

19.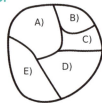

20.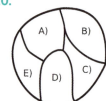

SIMULATION 25 – FAKTEN LERNEN

Bearbeitungszeit: 7 Minuten

1. Die nervöse Patientin ist von Beruf …
(A) Studentin
(B) Spinning-Trainerin
(C) Statikerin
(D) Lehrerin
(E) Optikerin

2. Die Diagnose für den Crossfit-Trainer lautet …
(A) Epilepsie
(B) Muskelschwund
(C) Gelenk ausgekugelt
(D) Rheuma
(E) Knochenbruch

3. Das Alter der Statikerin beträgt …
(A) ca. 17 Jahre
(B) ca. 28 Jahre
(C) ca. 45 Jahre
(D) ca. 57 Jahre
(E) ca. 72 Jahre

4. Frau Iwanow istvon Beruf …
(A) Studentin
(B) Statikerin
(C) Lehrerin
(D) Optikerin
(E) Spinning-Trainerin

5. Der an Arthritis leidende Patient ist von Beruf …
(A) Augenarzt
(B) Pädagoge
(C) Erzieher
(D) Bauleiter
(E) Arbeitsloser

6. Die Diagnose für Herrn Reagan lautet …
(A) Knochenbruch
(B) Rheuma
(C) Multiple Sklerose
(D) Epilepsie
(E) Muskelschwund

7. Die ca. 17-jährige Patientin hat eine …
(A) Nasennebenhöhlen-entzündung
(B) Mandelentzündung
(C) Blasenentzündung
(D) Nierenentzündung
(E) Blinddarmentzündung

8. Herr Notodden ist …
(A) ca. 17 Jahre
(B) ca. 28 Jahre
(C) ca. 45 Jahre
(D) ca. 57 Jahre
(E) ca. 72 Jahre

9. Der Patient mit dem Bänderriss heißt …
(A) Kaur
(B) Smirnow
(C) Multani
(D) Popow
(E) Drammen

10. Die Patientin mit dem Knochenbruch ist …
(A) nervös
(B) idealistisch
(C) fair
(D) geistig abwesend
(E) gestresst

11. Die an Knochenkrebs erkrankte Patientin ist von Beruf …
(A) Studentin
(B) Spinning-Trainerin
(C) Statikerin
(D) Lehrerin
(E) Optikerin

12. Die Studentin heißt …
(A) Kaur
(B) Carter
(C) Singh
(D) Reagan
(E) Olsson

13. Der Erzieher ist …
(A) fair
(B) vergesslich
(C) ausgeglichen
(D) liebenswert
(E) genervt

14. Die nervöse Patientin heißt …
(A) Akrehamn
(B) Drammen
(C) Popow
(D) Carter
(E) Iwanow

15. Der an einer Nieren-entzündung erkrankte Patient ist …
(A) ausgeglichen
(B) dynamisch
(C) fair
(D) idealistisch
(E) gestresst

16. Das Alter der Lehrerin beträgt …
(A) ca. 17 Jahre
(B) ca. 28 Jahre
(C) ca. 45 Jahre
(D) ca. 57 Jahre
(E) ca. 72 Jahre

17. Die hinterhältige Patientin ist von Beruf …
(A) Statikerin
(B) Studentin
(C) Spinning-Trainerin
(D) Lehrerin
(E) Optikerin

18. Der Bauleiter heißt …
(A) Olsson
(B) Nilsson
(C) Notodden
(D) Johnson
(E) Carter

19. Die Diagnose für den Brillenhersteller lautet …
(A) Bänderriss
(B) Knochenkrebs
(C) Arthritis
(D) Multiple Sklerose
(E) Knochenbruch

20. Die Studentin ist …
(A) ehrgeizig
(B) ausgeglichen
(C) geistig abwesend
(D) liebenswert
(E) fair

26. SIMULATION 26 – FIGUREN LERNEN

Bearbeitungszeit: 5 Minuten

1.
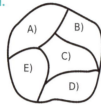

2.
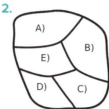

3.
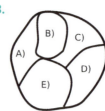

4.
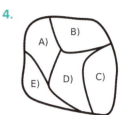

5.
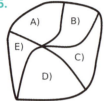

6.
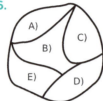

7.
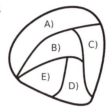

8.
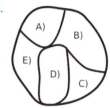

9.
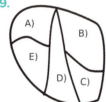

10.
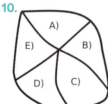

11.
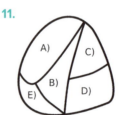

12.
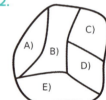

13.
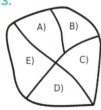

14.
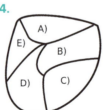

15.
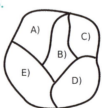

16.
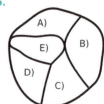

17.
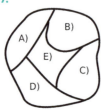

18.
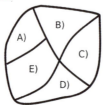

19.
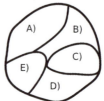

20.
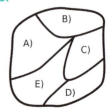

SIMULATION 26 – FAKTEN LERNEN

139

Bearbeitungszeit: 7 Minuten

1. Die kreative Patientin ist von Beruf …
(A) Tänzerin
(B) Vertrieblerin
(C) Auftragsmörderin
(D) Tierärztin
(E) Busfahrerin

2. Die Diagnose für den Tierpfleger lautet …
(A) Neurodermitis
(B) Heuschnupfen
(C) Demenz
(D) Sonnenallergie
(E) Fußpilz

3. Das Alter der Busfahrerin beträgt …
(A) ca. 21 Jahre
(B) ca. 29 Jahre
(C) ca. 33 Jahre
(D) ca. 54 Jahre
(E) ca. 67 Jahre

4. Frau Morosow ist von Beruf …
(A) Auftragsmörderin
(B) Spionin
(C) Tänzerin
(D) Vertrieblerin
(E) Tierärztin

5. Der an Hepatitis A leidende Patient ist von Beruf …
(A) Tierzüchter
(B) Headhunter
(C) Tierpfleger
(D) Schaffner
(E) Börsenmakler

6. Die Diagnose für Herrn Bibi lautet …
(A) Borderline
(B) Depression
(C) Durchfall
(D) Demenz
(E) Hautkrebs

7. Die ca. 33-jährige Patientin hat eine …
(A) Demenz
(B) Syphilis
(C) Sonnenallergie
(D) Depression
(E) Neurodermitis

8. Herr Sokolow ist …
(A) ca. 21 Jahre
(B) ca. 29 Jahre
(C) ca. 33 Jahre
(D) ca. 54 Jahre
(E) ca. 67 Jahre

9. Der Patient mit dem Heuschnupfen heißt …
(A) Bibi
(B) Karmoy
(C) Bai
(D) Klemm
(E) Locker

10. Der Patient mit der Neurodermitis ist …
(A) aufgedreht
(B) eingebildet
(C) übermüdet
(D) tolerant
(E) selbstbewusst

11. Die an Brustkrebs erkrankte Patientin ist von Beruf …
(A) Auftragsmörderin
(B) Tänzerin
(C) Spionin
(D) Tierärztin
(E) Busfahrerin

12. Die Tänzerin heißt …
(A) Bibi
(B) Deni
(C) Haugen
(D) Halvorsen
(E) Alta

13. Die Fahrkartenkontrolleurin ist …
(A) sympathisch
(B) sinnlich
(C) vital
(D) langweilig
(E) wütend

14. An Chlamydien erkrankt ist …
(A) Sokolow
(B) Morosow
(C) Halvorsen
(D) Klemm
(E) Koslow

15. Der an Hautkrebs erkrankte Patient ist …
(A) eingebildet
(B) aufgedreht
(C) kreativ
(D) geheimnisvoll
(E) zuversichtlich

16. Das Alter der Tierärztin beträgt …
(A) ca. 21 Jahre
(B) ca. 29 Jahre
(C) ca. 33 Jahre
(D) ca. 54 Jahre
(E) ca. 67 Jahre

17. Die sinnliche Patientin ist von Beruf …
(A) Tänzerin
(B) Tierärztin
(C) Vertrieblerin
(D) Auftragsmörderin
(E) Fahrkartenkontrolleurin

18. Der Schaffner heißt …
(A) Locker
(B) Klemm
(C) Bibi
(D) Spieß
(E) Alesund

19. Die Diagnose für den Barmann lautet …
(A) Hautkrebs
(B) HIV
(C) Demenz
(D) Sonnenallergie
(E) Fußpilz

20. Die Vertrieblerin ist …
(A) aufgedreht
(B) langweilig
(C) eingebildet
(D) unkompliziert
(E) tolerant

27. SIMULATION 27 – FIGUREN LERNEN

Bearbeitungszeit: 5 Minuten

1.
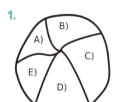

2.
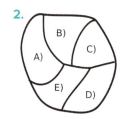

3.
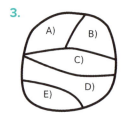

4.
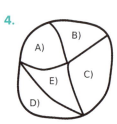

5.
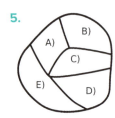

6.
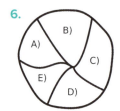

7.
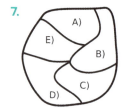

8.
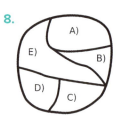

9.
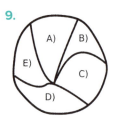

10.
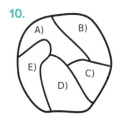

11.
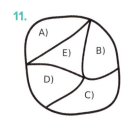

12.
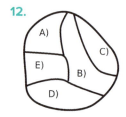

13.
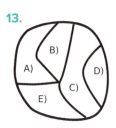

14.
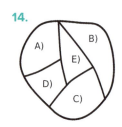

15.
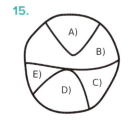

16.
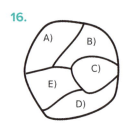

17.
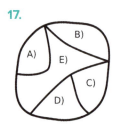

18.
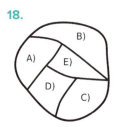

19.
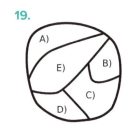

20.
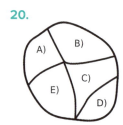

SIMULATION 27 – FAKTEN LERNEN

Bearbeitungszeit: 7 Minuten

1. Die konservative
   Patientin ist
   von Beruf …
   (A) Produktdesignerin
   (B) Bürgermeisterin
   (C) Elektrotechnikerin
   (D) Stylistin
   (E) Stadträtin

2. Die Diagnose für
   den Maschinenbauer
   lautet …
   (A) Tuberkulose
   (B) Herzinfarkt
   (C) Thrombose
   (D) Morbus Bechterew
   (E) Morbus Crohn

3. Das Alter der Flug-
   begleiterin beträgt …
   (A) ca. 24 Jahre
   (B) ca. 37 Jahre
   (C) ca. 46 Jahre
   (D) ca. 75 Jahre
   (E) ca. 81 Jahre

4. Frau Rauma
   ist von Beruf …
   (A) Stadträtin
   (B) Friseurin
   (C) Stylistin
   (D) Produktdesignerin
   (E) Flugbegleiterin

5. Der an Darmfistel
   leidende Patient
   ist von Beruf …
   (A) Kosmetiker
   (B) Kongressabgeordneter
   (C) Pilot
   (D) Schmuckdesigner
   (E) Fluglotse

6. Die Diagnose für
   Herrn Olsen lautet …
   (A) Morbus Crohn
   (B) Mangelernährung
   (C) Malaria
   (D) Masern
   (E) Mumps

7. Die ca. 81-jährige
   Patientin hat eine …
   (A) Tuberkulose
   (B) Mangelernährung
   (C) Thrombose
   (D) Darmfistel
   (E) Schilddrüsenüberfunktion

8. Herr Arendal ist …
   (A) ca. 24 Jahre
   (B) ca. 37 Jahre
   (C) ca. 46 Jahre
   (D) ca. 75 Jahre
   (E) ca. 81 Jahre

9. Der Patient mit
   Gelbfieber heißt …
   (A) Petrow
   (B) Askim
   (C) Pawlow
   (D) Prasad
   (E) Saizew

10. Die Patientin mit
    dem Herzinfarkt ist …
    (A) demütig
    (B) bodenständig
    (C) zuvorkommend
    (D) impulsiv
    (E) eitel

11. Die an einer Thrombose
    erkrankte Patientin
    ist von Beruf …
    (A) Bürgermeisterin
    (B) Elektrotechnikerin
    (C) Stylistin
    (D) Stadträtin
    (E) Flugbegleiterin

12. Die Elektrotechnikerin
    heißt …
    (A) Johansen
    (B) Hansen
    (C) Schneider
    (D) Brichter
    (E) Sharma

13. Der Schmuckdesigner
    ist …
    (A) intellektuell
    (B) introvertiert
    (C) zuvorkommend
    (D) eitel
    (E) ruhig

14. Der kuriose
    Patient heißt …
    (A) Arendal
    (B) Mandal
    (C) Askim
    (D) Schneider
    (E) Hansen

15. Die an Morbus Crohn
    erkrankte Patientin
    ist …
    (A) eitel
    (B) robust
    (C) impulsiv
    (D) demütig
    (E) bodenständig

16. Das Alter der
    bodenständigen
    Patientin beträgt …
    (A) ca. 24 Jahre
    (B) ca. 37 Jahre
    (C) ca. 46 Jahre
    (D) ca. 75 Jahre
    (E) ca. 81 Jahre

17. Die emotionale Patien-
    tin ist von Beruf …
    (A) Friseurin
    (B) Flugbegleiterin
    (C) Produktdesignerin
    (D) Bürgermeisterin
    (E) Elektrotechnikerin

18. Die Stylistin heißt …
    (A) Sharma
    (B) Askim
    (C) Petrow
    (D) Hansen
    (E) Arendal

19. Die Diagnose für den
    Pilot lautet …
    (A) Schilddrüsenunterfunk-
        tion
    (B) Thrombose
    (C) Bluthochdruck
    (D) Tuberkulose
    (E) Schilddrüsenüberfunktion

20. Die Stadträtin ist …
    (A) eitel
    (B) emotional
    (C) sensibel
    (D) emanzipiert
    (E) demütig

28. SIMULATION 28 – FIGUREN LERNEN

Bearbeitungszeit: 5 Minuten

1.
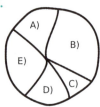

2.
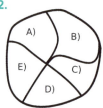

3.
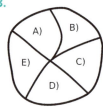

4.
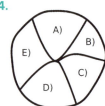

5.
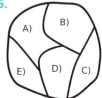

6.
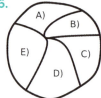

7.
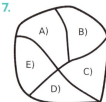

8.
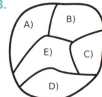

9.
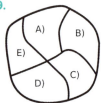

10.
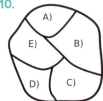

11.
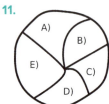

12.
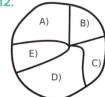

13.
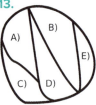

14.
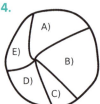

15.
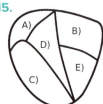

16.
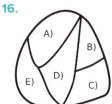

17.
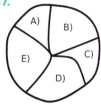

18.
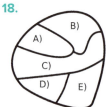

19.
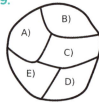

20.
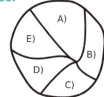

SIMULATION 28 – FAKTEN LERNEN

Bearbeitungszeit: 7 Minuten

**1. Die neugierige Patien-
tin ist von Beruf …**
(A) Innenarchitektin
(B) Finanzberaterin
(C) Dompteurin
(D) Zirkusartistin
(E) Polizistin

**2. Die Diagnose für
den Reporter lautet …**
(A) Schnittwunde
(B) Bänderriss
(C) Bluterguss
(D) Platzwunde
(E) Bänderdehnung

**3. Das Alter der
Dompteurin beträgt …**
(A) ca. 29 Jahre
(B) ca. 58 Jahre
(C) ca. 63 Jahre
(D) ca. 71 Jahre
(E) ca. 92 Jahre

**4. Frau Bogdanow
ist von Beruf …**
(A) Innenarchitektin
(B) Dompteurin
(C) Finanzberaterin
(D) Polizistin
(E) Zirkusartistin

**5. Der an Herpes leidende
Patient ist von Beruf …**
(A) Stadtplaner
(B) Clown
(C) Landschaftsarchitekt
(D) Buchhalter
(E) Steuerberater

**6. Die Diagnose für
Herrn Khatoon lautet …**
(A) Bänderdehnung
(B) Bluterguss
(C) Herpes
(D) Akne
(E) Bänderriss

**7. Die ca. 63-jährige
Patientin hat eine …**
(A) Gebärmutterentzündung
(B) Schuppenflechte
(C) Wirbelsäulenverkrüm-mung
(D) Bänderzerrung
(E) Platzwunde

8. Herr Golubew ist …
(A) ca. 29 Jahre
(B) ca. 58 Jahre
(C) ca. 63 Jahre
(D) ca. 71 Jahre
(E) ca. 92 Jahre

**9. Der Patient mit der
Wirbelsäulenverkrümmung
heißt …**
(A) Berg
(B) Lund
(C) Orland
(D) Halber
(E) Golubew

**10. Der Patient mit
der Platzwunde ist …**
(A) aufdringlich
(B) hübsch
(C) durchsetzungsfähig
(D) temperamentvoll
(E) penibel

**11. Die an einer
Gebärmutterhalskrebs
erkrankte Patientin
ist von Beruf …**
(A) Autorin
(B) Richterin
(C) Polizistin
(D) Finanzberaterin
(E) Regisseurin

**12. Die Zirkusartistin
heißt …**
(A) Bogdanow
(B) Semjonow
(C) Mishra
(D) Dahl
(E) Bodo

13. Der Reporter ist …
(A) durchsetzungsfähig
(B) aufdringlich
(C) hysterisch
(D) skurril
(E) hübsch

**14. Der temperamentvolle
Patient heißt …**
(A) Semjonow
(B) Sarkar
(C) Golubew
(D) Halber
(E) Orland

**15. Der an Schuppenflechte
erkrankte Patient ist …**
(A) hysterisch
(B) skurril
(C) temperamentvoll
(D) penibel
(E) durchsetzungsfähig

**16. Das Alter der
introvertierten
Patientin beträgt …**
(A) ca. 29 Jahre
(B) ca. 58 Jahre
(C) ca. 63 Jahre
(D) ca. 71 Jahre
(E) ca. 92 Jahre

**17. Die gewaltbereite
Patientin ist von Beruf …**
(A) Richterin
(B) Autorin
(C) Regisseurin
(D) Dompteurin
(E) Polizistin

**18. Die Finanzberaterin
heißt …**
(A) Dahl
(B) Bodo
(C) Drammen
(D) Volmer
(E) Mishra

**19. Die Diagnose für
den Clown lautet …**
(A) Bänderdehnung
(B) Akne
(C) Herpes
(D) Schuppenflechte
(E) Schnittwunde

20. Die Richterin ist …
(A) geschmackvoll
(B) zynisch
(C) sarkastisch
(D) anstrengend
(E) hysterisch

1. LÖSUNGEN   146 | 2. ANTWORTBOGEN ZUM KOPIEREN   156

LÖSUNGEN

1. LÖSUNGEN

SIMULATION 1 – FIGUREN LERNEN				
(A)	(B)	(C)	(D)	(E)
□	□	□	□	■
□	□	■	□	□
□	□	□	■	□
□	■	□	□	□
■	□	□	□	□
□	■	□	□	□
□	□	□	□	■
□	□	■	□	□
□	□	□	□	■
□	□	□	■	□
□	□	□	■	□
□	□	□	■	□
■	□	□	□	□
□	■	□	□	□
□	□	■	□	□
■	□	□	□	□
■	□	□	□	□
■	□	□	□	□
□	□	□	□	■
□	□	□	□	■

SIMULATION 1 – FAKTEN LERNEN				
(A)	(B)	(C)	(D)	(E)
□	□	■	□	□
□	■	□	□	□
□	□	■	□	□
□	□	□	■	□
■	□	□	□	□
□	□	□	■	□
□	■	□	□	□
■	□	□	□	□
□	□	■	□	□
■	□	□	□	□
□	■	□	□	□
□	□	□	□	■
■	□	□	□	□
■	□	□	□	□
□	□	■	□	□
□	□	□	■	□
□	□	□	■	□
■	□	□	□	□
□	■	□	□	□
□	□	□	■	□

SIMULATION 2 – FIGUREN LERNEN

	(A)	(B)	(C)	(D)	(E)
1		■			
2				■	
3					■
4		■			
5			■		
6					■
7	■				
8					
9				■	
10				■	
11			■		
12				■	
13		■			
14					■
15					■
16				■	
17	■				
18	■				
19		■			
20			■		

SIMULATION 3 – FIGUREN LERNEN

	(A)	(B)	(C)	(D)	(E)
1	■				
2	■				
3					■
4	■				
5				■	
6			■		
7				■	
8	■				
9				■	
10		■			
11		■			
12		■			
13	■				
14		■			
15		■			
16					■
17		■			
18				■	
19		■			
20	■				

SIMULATION 4 – FIGUREN LERNEN

	(A)	(B)	(C)	(D)	(E)
1				■	
2	■				
3			■		
4		■			
5				■	
6	■				
7	■				
8	■				
9					■
10		■			
11		■			
12	■				
13	■				
14	■				
15					■
16		■			
17				■	
18					■
19				■	
20					■

SIMULATION 2 – FAKTEN LERNEN

	(A)	(B)	(C)	(D)	(E)
1				■	
2			■		
3		■			
4	■				
5				■	
6		■			
7					■
8					■
9	■				
10			■		
11		■			
12					■
13	■				
14				■	
15		■			
16		■			
17			■		
18		■			
19			■		
20					■

SIMULATION 3 – FAKTEN LERNEN

	(A)	(B)	(C)	(D)	(E)
1			■		
2		■			
3		■			
4					■
5			■		
6			■		
7				■	
8	■				
9	■				
10		■			
11				■	
12	■				
13		■			
14		■			
15			■		
16				■	
17	■				
18				■	
19		■			
20					■

SIMULATION 4 – FAKTEN LERNEN

	(A)	(B)	(C)	(D)	(E)
1				■	
2		■			
3					■
4					■
5	■				
6		■			
7	■				
8	■				
9				■	
10				■	
11				■	
12					■
13			■		
14	■				
15					■
16		■			
17				■	
18			■		
19		■			
20			■		

SIMULATION 5 – FIGUREN LERNEN

	(A)	(B)	(C)	(D)	(E)
1					■
2				■	
3	■				
4			■		
5					■
6			■		
7		■			
8					■
9	■				
10	■				
11				■	
12			■		
13				■	
14				■	
15			■		
16		■			
17				■	
18					■
19					■
20		■			

SIMULATION 6 – FIGUREN LERNEN

	(A)	(B)	(C)	(D)	(E)
1		■			
2					■
3				■	
4			■		
5				■	
6		■			
7			■		
8	■				
9	■				
10				■	
11	■				
12		■			
13					■
14					■
15				■	
16			■		
17			■		
18				■	
19	■				
20			■		

SIMULATION 7 – FIGUREN LERNEN

	(A)	(B)	(C)	(D)	(E)
1		■			
2	■				
3					■
4				■	
5		■			
6					■
7				■	
8			■		
9				■	
10		■			
11	■				
12					■
13					■
14	■				
15		■			
16		■			
17			■		
18		■			
19				■	
20					■

SIMULATION 5 – FAKTEN LERNEN

	(A)	(B)	(C)	(D)	(E)
1				■	
2		■			
3					■
4				■	
5	■				
6	■				
7			■		
8				■	
9			■		
10		■			
11		■			
12				■	
13	■				
14					■
15				■	
16	■				
17		■			
18					■
19		■			
20				■	

SIMULATION 6 – FAKTEN LERNEN

	(A)	(B)	(C)	(D)	(E)
1		■			
2					■
3		■			
4					■
5				■	
6			■		
7	■				
8		■			
9		■			
10	■				
11		■			
12			■		
13					■
14				■	
15	■				
16			■		
17			■		
18				■	
19			■		
20		■			

SIMULATION 7 – FAKTEN LERNEN

	(A)	(B)	(C)	(D)	(E)
1	■				
2				■	
3		■			
4	■				
5					■
6			■		
7				■	
8				■	
9			■		
10	■				
11					■
12				■	
13			■		
14	■				
15			■		
16	■				
17		■			
18		■			
19					■
20					■

SIMULATION 8 – FIGUREN LERNEN

	(A)	(B)	(C)	(D)	(E)
1			■		
2	■				
3					■
4				■	
5		■			
6				■	
7				■	
8		■			
9	■				
10				■	
11			■		
12			■		
13	■				
14		■			
15		■			
16		■			
17		■			
18		■			
19					■
20		■			

SIMULATION 9 – FIGUREN LERNEN

	(A)	(B)	(C)	(D)	(E)
1				■	
2			■		
3		■			
4				■	
5				■	
6		■			
7			■		
8					
9					
10					■
11	■				
12			■		
13	■				
14	■				
15			■		
16	■				
17	■				
18					■
19		■			
20	■				

SIMULATION 10 – FIGUREN LERNEN

	(A)	(B)	(C)	(D)	(E)
1	■				
2		■			
3				■	
4				■	
5	■				
6		■			
7				■	
8					
9					
10		■			
11	■				
12		■			
13			■		
14				■	
15		■			
16	■				
17		■			
18					■
19				■	
20	■				

SIMULATION 8 – FAKTEN LERNEN

	(A)	(B)	(C)	(D)	(E)
1				■	
2	■				
3		■			
4				■	
5					■
6	■				
7	■				
8			■		
9		■			
10	■				
11					■
12			■		
13		■			
14		■			
15				■	
16	■				
17					■
18		■			
19				■	
20					■

SIMULATION 9 – FAKTEN LERNEN

	(A)	(B)	(C)	(D)	(E)
1		■			
2			■		
3				■	
4				■	
5		■			
6			■		
7	■				
8	■				
9				■	
10		■			
11	■				
12			■		
13					■
14					■
15			■		
16	■				
17				■	
18		■			
19			■		
20	■				

SIMULATION 10 – FAKTEN LERNEN

	(A)	(B)	(C)	(D)	(E)
1		■			
2					■
3			■		
4			■		
5	■				
6					■
7	■				
8			■		
9					■
10	■				
11	■				
12		■			
13				■	
14			■		
15	■				
16			■		
17				■	
18	■				
19					■
20		■			

SIMULATION 11 – FIGUREN LERNEN

	(A)	(B)	(C)	(D)	(E)
1	☐	■	☐	☐	☐
2	☐	■	☐	☐	☐
3	☐	■	☐	☐	☐
4	☐	■	☐	☐	☐
5	☐	☐	■	☐	☐
6	☐	■	☐	☐	☐
7	☐	☐	☐	■	☐
8	☐	☐	☐	☐	■
9	☐	■	☐	☐	☐
10	■	☐	☐	☐	☐
11	☐	☐	☐	■	☐
12	☐	■	☐	☐	☐
13	☐	☐	☐	■	☐
14	☐	■	☐	☐	☐
15	☐	☐	☐	☐	■
16	■	☐	☐	☐	☐
17	☐	☐	■	☐	☐
18	☐	☐	☐	☐	■
19	☐	☐	☐	■	☐
20	☐	☐	☐	☐	■

SIMULATION 12 – FIGUREN LERNEN

	(A)	(B)	(C)	(D)	(E)
1	☐	☐	☐	■	☐
2	☐	■	☐	☐	☐
3	☐	☐	☐	☐	■
4	☐	☐	☐	■	☐
5	☐	☐	■	☐	☐
6	☐	☐	☐	■	☐
7	☐	☐	☐	☐	☐
8	☐	☐	☐	☐	☐
9	■	☐	☐	☐	☐
10	☐	☐	■	☐	☐
11	■	☐	☐	☐	☐
12	☐	☐	■	☐	☐
13	☐	■	☐	☐	☐
14	■	☐	☐	☐	☐
15	■	☐	☐	☐	☐
16	☐	☐	☐	■	☐
17	☐	■	☐	☐	☐
18	☐	☐	☐	■	☐
19	☐	☐	■	☐	☐
20	☐	☐	☐	■	☐

SIMULATION 13 – FIGUREN LERNEN

	(A)	(B)	(C)	(D)	(E)
1	☐	☐	☐	☐	■
2	■	☐	☐	☐	☐
3	■	☐	☐	☐	☐
4	☐	■	☐	☐	☐
5	☐	☐	☐	■	☐
6	☐	☐	■	☐	☐
7	☐	☐	☐	☐	☐
8	■	☐	☐	☐	☐
9	☐	☐	■	☐	☐
10	☐	■	☐	☐	☐
11	☐	☐	■	☐	☐
12	☐	☐	☐	☐	■
13	☐	☐	■	☐	☐
14	■	☐	☐	☐	☐
15	☐	☐	☐	☐	■
16	■	☐	☐	☐	☐
17	☐	☐	☐	■	☐
18	☐	☐	☐	☐	■
19	☐	☐	☐	■	☐
20	☐	☐	☐	☐	■

SIMULATION 11 – FAKTEN LERNEN

	(A)	(B)	(C)	(D)	(E)
1	☐	☐	■	☐	☐
2	■	☐	☐	☐	☐
3	☐	■	☐	☐	☐
4	☐	☐	☐	☐	■
5	☐	☐	■	☐	☐
6	☐	☐	■	☐	☐
7	■	☐	☐	☐	☐
8	☐	☐	☐	■	☐
9	☐	☐	☐	■	☐
10	■	☐	☐	☐	☐
11	☐	☐	☐	☐	■
12	☐	☐	☐	☐	■
13	☐	☐	☐	☐	■
14	☐	☐	☐	☐	■
15	☐	☐	☐	■	☐
16	☐	☐	☐	☐	■
17	■	☐	☐	☐	☐
18	☐	■	☐	☐	☐
19	☐	☐	■	☐	☐
20	☐	☐	☐	■	☐

SIMULATION 12 – FAKTEN LERNEN

	(A)	(B)	(C)	(D)	(E)
1	☐	■	☐	☐	☐
2	☐	☐	■	☐	☐
3	☐	☐	☐	■	☐
4	■	☐	☐	☐	☐
5	☐	☐	☐	☐	■
6	☐	☐	☐	☐	■
7	■	☐	☐	☐	☐
8	☐	☐	☐	☐	■
9	☐	■	☐	☐	☐
10	■	☐	☐	☐	☐
11	☐	☐	■	☐	☐
12	☐	☐	■	☐	☐
13	☐	■	☐	☐	☐
14	■	☐	☐	☐	☐
15	☐	☐	■	☐	☐
16	■	☐	☐	☐	☐
17	☐	☐	☐	☐	☐
18	☐	☐	■	☐	☐
19	☐	☐	☐	☐	■
20	☐	☐	☐	■	☐

SIMULATION 13 – FAKTEN LERNEN

	(A)	(B)	(C)	(D)	(E)
1	☐	☐	☐	☐	■
2	☐	☐	☐	■	☐
3	☐	☐	☐	■	☐
4	☐	■	☐	☐	☐
5	☐	☐	☐	☐	☐
6	☐	☐	☐	☐	■
7	■	☐	☐	☐	☐
8	☐	☐	■	☐	☐
9	☐	☐	☐	■	☐
10	■	☐	☐	☐	☐
11	☐	☐	■	☐	☐
12	■	☐	☐	☐	☐
13	☐	☐	☐	☐	■
14	☐	☐	■	☐	☐
15	☐	☐	☐	☐	☐
16	☐	☐	☐	☐	☐
17	☐	■	☐	☐	☐
18	■	☐	☐	☐	☐
19	☐	☐	☐	☐	■
20	☐	☐	☐	■	☐

SIMULATION 14 – FIGUREN LERNEN

	(A)	(B)	(C)	(D)	(E)
1		■			
2				■	
3					■
4			■		
5					■
6	■				
7		■			
8					■
9					
10				■	
11	■				
12			■		
13			■		
14				■	
15			■		
16	■				
17	■				
18				■	
19		■			
20				■	

SIMULATION 15 – FIGUREN LERNEN

	(A)	(B)	(C)	(D)	(E)
1			■		
2	■				
3	■				
4				■	
5	■				
6					■
7			■		
8			■		
9			■		
10					■
11	■				
12	■				
13	■				
14					■
15			■		
16					■
17			■		
18		■			
19			■		
20			■		

SIMULATION 16 – FIGUREN LERNEN

	(A)	(B)	(C)	(D)	(E)
1					■
2		■			
3					■
4	■				
5				■	
6			■		
7				■	
8	■				
9					■
10		■			
11					■
12	■				
13			■		
14			■		
15		■			
16				■	
17	■				
18			■		
19		■			
20				■	

SIMULATION 14 – FAKTEN LERNEN

	(A)	(B)	(C)	(D)	(E)
1	■				
2				■	
3			■		
4	■				
5					■
6			■		
7					
8				■	
9				■	
10		■			
11			■		
12	■				
13	■				
14		■			
15		■			
16			■		
17				■	
18		■			
19		■			
20					■

SIMULATION 15 – FAKTEN LERNEN

	(A)	(B)	(C)	(D)	(E)
1					■
2			■		
3				■	
4			■		
5					■
6	■				
7	■				
8	■				
9	■				
10		■			
11				■	
12			■		
13					
14					
15					■
16		■			
17		■			
18				■	
19					■
20			■		

SIMULATION 16 – FAKTEN LERNEN

	(A)	(B)	(C)	(D)	(E)
1			■		
2		■			
3			■		
4				■	
5	■				
6					■
7	■				
8				■	
9					■
10		■			
11					■
12					■
13					
14					
15	■				
16					■
17				■	
18					■
19			■		
20	■				

SIMULATION 17 – FIGUREN LERNEN

	(A)	(B)	(C)	(D)	(E)
1					■
2	■				
3		■			
4			■		
5			■		
6	■				
7				■	
8	■				
9					■
10				■	
11		■			
12				■	
13				■	
14					■
15	■				
16			■		
17			■		
18	■				
19					■
20		■			

SIMULATION 18 – FIGUREN LERNEN

	(A)	(B)	(C)	(D)	(E)
1		■			
2					■
3		■			
4	■				
5			■		
6			■		
7	■				
8			■		
9	■				
10					■
11				■	
12		■			
13		■			
14	■				
15	■				
16	■				
17					■
18	■				
19			■		
20		■			

SIMULATION 19 – FIGUREN LERNEN

	(A)	(B)	(C)	(D)	(E)
1	■				
2	■				
3				■	
4				■	
5			■		
6					■
7		■			
8	■				
9	■				
10	■				
11	■				
12		■			
13				■	
14				■	
15				■	
16					■
17		■			
18					■
19				■	
20				■	

SIMULATION 17 – FAKTEN LERNEN

	(A)	(B)	(C)	(D)	(E)
1		■			
2	■				
3	■				
4					■
5	■				
6			■		
7					■
8			■		
9					■
10	■				
11	■				
12		■			
13			■		
14	■				
15				■	
16			■		
17				■	
18	■				
19		■			
20		■			

SIMULATION 18 – FAKTEN LERNEN

	(A)	(B)	(C)	(D)	(E)
1	■				
2	■				
3				■	
4			■		
5	■				
6			■		
7	■				
8	■				
9					■
10	■				
11				■	
12	■				
13					■
14				■	
15		■			
16			■		
17		■			
18					■
19			■		
20	■				

SIMULATION 19 – FAKTEN LERNEN

	(A)	(B)	(C)	(D)	(E)
1		■			
2			■		
3		■			
4					■
5			■		
6					■
7	■				
8					■
9			■		
10		■			
11	■				
12		■			
13				■	
14					■
15					■
16	■				
17	■				
18				■	
19	■				
20	■				

SIMULATION 20 – FIGUREN LERNEN

	(A)	(B)	(C)	(D)	(E)
1			■		
2				■	
3				■	
4			■		
5					■
6	■				
7			■		
8		■			
9			■		
10				■	
11				■	
12	■				
13	■				
14			■		
15			■		
16		■			
17		■			
18			■		
19				■	
20					■

SIMULATION 21 – FIGUREN LERNEN

	(A)	(B)	(C)	(D)	(E)
1					■
2				■	
3	■				
4			■		
5				■	
6	■				
7					■
8				■	
9				■	
10	■				
11	■				
12		■			
13	■				
14				■	
15		■			
16			■		
17					■
18	■				
19				■	
20			■		

SIMULATION 22 – FIGUREN LERNEN

	(A)	(B)	(C)	(D)	(E)
1			■		
2					■
3			■		
4	■				
5	■				
6				■	
7		■			
8		■			
9			■		
10		■			
11		■			
12	■				
13			■		
14			■		
15		■			
16					■
17			■		
18			■		
19					■
20			■		

SIMULATION 20 – FAKTEN LERNEN

	(A)	(B)	(C)	(D)	(E)
1		■			
2	■				
3				■	
4				■	
5				■	
6					■
7			■		
8	■				
9				■	
10	■				
11				■	
12			■		
13			■		
14	■				
15		■			
16				■	
17					■
18		■			
19			■		
20	■				

SIMULATION 21 – FAKTEN LERNEN

	(A)	(B)	(C)	(D)	(E)
1				■	
2		■			
3		■			
4				■	
5				■	
6			■		
7					■
8			■		
9					■
10					■
11	■				
12				■	
13			■		
14		■			
15					■
16				■	
17				■	
18		■			
19		■			
20		■			

SIMULATION 22 – FAKTEN LERNEN

	(A)	(B)	(C)	(D)	(E)
1	■				
2			■		
3	■				
4		■			
5		■			
6				■	
7		■			
8					■
9		■			
10			■		
11				■	
12		■			
13					■
14		■			
-15			■		
16					■
17				■	
18	■				
19		■			
20			■		

SIMULATION 23 – FIGUREN LERNEN

	(A)	(B)	(C)	(D)	(E)
1				■	
2				■	
3					■
4	■				
5					■
6			■		
7			■		
8		■			
9					■
10	■				
11					■
12					■
13					■
14				■	
15		■			
16			■		
17		■			
18	■				
19			■		
20	■				

SIMULATION 24 – FIGUREN LERNEN

	(A)	(B)	(C)	(D)	(E)
1	■				
2		■			
3					■
4				■	
5					■
6	■				
7	■				
8	■				
9			■		
10		■			
11			■		
12				■	
13			■		
14					■
15				■	
16				■	
17			■		
18	■				
19			■		
20	■				

SIMULATION 25 – FIGUREN LERNEN

	(A)	(B)	(C)	(D)	(E)
1				■	
2		■			
3			■		
4		■			
5			■		
6		■			
7	■				
8					■
9				■	
10					■
11			■		
12	■				
13			■		
14					■
15	■				
16			■		
17				■	
18		■			
19	■				
20					■

SIMULATION 23 – FAKTEN LERNEN

	(A)	(B)	(C)	(D)	(E)
1	■				
2		■			
3			■		
4					■
5	■				
6			■		
7			■		
8				■	
9			■		
10					■
11				■	
12	■				
13	■				
14					■
15			■		
16		■			
17			■		
18					■
19				■	
20		■			

SIMULATION 24 – FAKTEN LERNEN

	(A)	(B)	(C)	(D)	(E)
1				■	
2	■				
3	■				
4					■
5	■				
6				■	
7	■				
8				■	
9			■		
10			■		
11			■		
12		■			
13		■			
14					■
15	■				
16				■	
17				■	
18		■			
19					■
20		■			

SIMULATION 25 – FAKTEN LERNEN

	(A)	(B)	(C)	(D)	(E)
1				■	
2			■		
3			■		
4					■
5		■			
6			■		
7		■			
8				■	
9		■			
10					■
11		■			
12			■		
13		■			
14	■				
15					■
16				■	
17	■				
18		■			
19				■	
20		■			

SIMULATION 26 – FIGUREN LERNEN

	(A)	(B)	(C)	(D)	(E)
1			■		
2					■
3	■				
4					■
5		■			
6		■			
7			■		
8	■				
9		■			
10				■	
11	■				
12		■			
13				■	
14				■	
15					■
16			■		
17		■			
18		■			
19	■				
20		■			

SIMULATION 27 – FIGUREN LERNEN

	(A)	(B)	(C)	(D)	(E)
1					■
2		■			
3	■				
4				■	
5	■				
6		■			
7			■		
8					■
9			■		
10					■
11					■
12	■				
13					■
14					■
15		■			
16			■		
17					■
18			■		
19		■			
20		■			

SIMULATION 28 – FIGUREN LERNEN

	(A)	(B)	(C)	(D)	(E)
1				■	
2					■
3	■				
4	■				
5		■			
6				■	
7		■			
8					■
9					■
10				■	
11					■
12					■
13			■		
14					■
15			■		
16	■				
17		■			
18		■			
19	■				
20		■			

SIMULATION 26 – FAKTEN LERNEN

	(A)	(B)	(C)	(D)	(E)
1	■				
2				■	
3					■
4		■			
5				■	
6					■
7	■				
8		■			
9			■		
10					■
11	■				
12		■			
13			■		
14		■			
15	■				
16				■	
17		■			
18				■	
19	■				
20		■			

SIMULATION 27 – FAKTEN LERNEN

	(A)	(B)	(C)	(D)	(E)
1				■	
2				■	
3					■
4		■			
5	■				
6			■		
7		■			
8				■	
9					■
10		■			
11					■
12	■				
13			■		
14	■				
15		■			
16	■				
17	■				
18		■			
19					■
20				■	

SIMULATION 28 – FAKTEN LERNEN

	(A)	(B)	(C)	(D)	(E)
1		■			
2	■				
3		■			
4					■
5				■	
6	■				
7				■	
8		■			
9	■				
10			■		
11					■
12	■				
13		■			
14			■		
15				■	
16					■
17					■
18	■				
19	■				
20				■	

2. ANTWORTBOGEN ZUM KOPIEREN

Name: _____

Vorname: _____

SIMULATION ___ – FIGUREN LERNEN				
(A)	(B)	(C)	(D)	(E)
1 ☐	☐	☐	☐	☐
2 ☐	☐	☐	☐	☐
3 ☐	☐	☐	☐	☐
4 ☐	☐	☐	☐	☐
5 ☐	☐	☐	☐	☐
6 ☐	☐	☐	☐	☐
7 ☐	☐	☐	☐	☐
8 ☐	☐	☐	☐	☐
9 ☐	☐	☐	☐	☐
10 ☐	☐	☐	☐	☐
11 ☐	☐	☐	☐	☐
12 ☐	☐	☐	☐	☐
13 ☐	☐	☐	☐	☐
14 ☐	☐	☐	☐	☐
15 ☐	☐	☐	☐	☐
16 ☐	☐	☐	☐	☐
17 ☐	☐	☐	☐	☐
18 ☐	☐	☐	☐	☐
19 ☐	☐	☐	☐	☐
20 ☐	☐	☐	☐	☐

SIMULATION ___ – FIGUREN LERNEN				
(A)	(B)	(C)	(D)	(E)
1 ☐	☐	☐	☐	☐
2 ☐	☐	☐	☐	☐
3 ☐	☐	☐	☐	☐
4 ☐	☐	☐	☐	☐
5 ☐	☐	☐	☐	☐
6 ☐	☐	☐	☐	☐
7 ☐	☐	☐	☐	☐
8 ☐	☐	☐	☐	☐
9 ☐	☐	☐	☐	☐
10 ☐	☐	☐	☐	☐
11 ☐	☐	☐	☐	☐
12 ☐	☐	☐	☐	☐
13 ☐	☐	☐	☐	☐
14 ☐	☐	☐	☐	☐
15 ☐	☐	☐	☐	☐
16 ☐	☐	☐	☐	☐
17 ☐	☐	☐	☐	☐
18 ☐	☐	☐	☐	☐
19 ☐	☐	☐	☐	☐
20 ☐	☐	☐	☐	☐

SIMULATION ___ – FAKTEN LERNEN				
(A)	(B)	(C)	(D)	(E)
1 ☐	☐	☐	☐	☐
2 ☐	☐	☐	☐	☐
3 ☐	☐	☐	☐	☐
4 ☐	☐	☐	☐	☐
5 ☐	☐	☐	☐	☐
6 ☐	☐	☐	☐	☐
7 ☐	☐	☐	☐	☐
8 ☐	☐	☐	☐	☐
9 ☐	☐	☐	☐	☐
10 ☐	☐	☐	☐	☐
11 ☐	☐	☐	☐	☐
12 ☐	☐	☐	☐	☐
13 ☐	☐	☐	☐	☐
14 ☐	☐	☐	☐	☐
15 ☐	☐	☐	☐	☐
16 ☐	☐	☐	☐	☐
17 ☐	☐	☐	☐	☐
18 ☐	☐	☐	☐	☐
19 ☐	☐	☐	☐	☐
20 ☐	☐	☐	☐	☐

SIMULATION ___ – FAKTEN LERNEN				
(A)	(B)	(C)	(D)	(E)
1 ☐	☐	☐	☐	☐
2 ☐	☐	☐	☐	☐
3 ☐	☐	☐	☐	☐
4 ☐	☐	☐	☐	☐
5 ☐	☐	☐	☐	☐
6 ☐	☐	☐	☐	☐
7 ☐	☐	☐	☐	☐
8 ☐	☐	☐	☐	☐
9 ☐	☐	☐	☐	☐
10 ☐	☐	☐	☐	☐
11 ☐	☐	☐	☐	☐
12 ☐	☐	☐	☐	☐
13 ☐	☐	☐	☐	☐
14 ☐	☐	☐	☐	☐
15 ☐	☐	☐	☐	☐
16 ☐	☐	☐	☐	☐
17 ☐	☐	☐	☐	☐
18 ☐	☐	☐	☐	☐
19 ☐	☐	☐	☐	☐
20 ☐	☐	☐	☐	☐

LÖSUNGEN · ANTWORTBOGEN ZUM KOPIEREN

BUCHEMPFEHLUNGEN, E-LEARNING UND SEMINARE

1. ÜBUNGSMATERIAL ZU DEN
EINZELNEN UNTERTESTS   159

2. E-LEARNING   161

3. VORBEREITUNGSSEMINARE   162

BUCHEMPFEHLUNGEN, E-LEARNING UND SEMINARE

Für eine intensive Vorbereitung ist ausreichend hochwertiges Übungsmaterial unverzichtbar. Wir haben Dir deshalb unsere Übungsbücher nach Untertest sortiert aufgeführt. Über den nebenstehenden QR-Link erhältst Du weitere Informationen und Leseproben zum jeweiligen Buch.

Darüber hinaus empfiehlt es sich Bücher in Gruppen zu besorgen und diese gemeinsam zu nutzen. Eine weitere günstige Alternative ist unsere EMS, TMS, MedAT Tauschbörse. Du findest diese Gruppe auf Facebook und kannst hier mit ehemaligen TeilnehmerInnen Bücher tauschen oder vergünstigt kaufen.

Zudem findest Du in diesem Kapitel alle wichtigen Informationen zu unseren TMS und EMS Seminaren und zu unserer E-Learning-Plattform. Via QR-Link gelangst Du direkt zu den Informationsvideos.

1. ÜBUNGSMATERIAL ZU DEN EINZELNEN UNTERTESTS

Ausführliche Informationen zu unseren Büchern, Seminaren und zu unserer E-Learning-Plattform erhältst Du auf unserer Homepage www.medgurus.de. Wenn Du mehr Informationen, Bilder oder Leseproben zu den unten aufgeführten Büchern unserer TMS, EMS, MedAT und Ham-Nat Buchreihen erhalten willst, folge einfach dem QR-Link neben den Büchern.

DIE KOMPLETTE TMS & EMS BUCHREIHE

LEITFADEN
Medizinertest in Deutschland und der Schweiz

* Lösungsstrategien zu allen Untertests werden anhand anschaulicher Beispiele und Musteraufgaben erklärt
* Zahlreiche Übungsaufgaben zu allen Untertests
* Allgemeine Bearbeitungstipps und Tricks für den TMS & EMS
* Alle Infos rund um den TMS & EMS inklusive Erfahrungsberichten

MATHE LEITFADEN
Quantitative und formale Probleme

* Das komplette relevante Mathe-Basiswissen für den TMS & EMS
* Lösungsstrategien und Grundaufgabentypen für den TMS & EMS
* Zahlreiche aktuelle Übungsaufgaben und komplette TMS-Simulationen mit ausführlichen Musterlösungen

SIMULATION
Medizinertest in Deutschland und der Schweiz

* Eine komplette Simulation des TMS in Deutschland
* Alle Aufgaben wurden vor der Veröffentlichung unter realen Testbedingungen getestet und den aktuellen Ansprüchen des TMS angepasst
* Die Simulation entspricht in Form und Anspruch dem TMS

DIAGRAMME UND TABELLEN
Übungsbuch

* Zahlreiche Übungsaufgaben, die in Form und Anspruch den Originalaufgaben entsprechen
* Musterlösungen zu allen Übungsaufgaben
* Lösungsstrategien, Tipps und Tricks zur effizienten Bearbeitung der Aufgaben

FIGUREN UND FAKTEN LERNEN
Übungsbuch

* Zahlreiche, aktualisierte Übungsaufgaben
* Schritt-für-Schritt Erklärungen zu den wichtigsten Mnemotechniken
* Tipps und Tricks für eine effizientere und schnellere Bearbeitung

KONZENTRIERTES UND SORGFÄLTIGES ARBEITEN
Übungsbuch

* Test-relevante Konzentrationstests mit Lösungsschlüssel
* Tipps für eine effizientere und schnellere Bearbeitung

MEDIZINISCH-NATURWISSENSCHAFTLICHES GRUNDVERSTÄNDNIS
Übungsbuch

* Übungsaufgaben zu Test-relevanten, naturwissenschaftlichen Themen
* Musterlösungen zu allen Übungsaufgaben
* Lösungsstrategien, Tipps und Tricks zur effizienten Bearbeitung

MUSTER ZUORDNEN
Übungsbuch

* Genaue Analyse der typischen Fallen und Fehler im TMS & EMS
* Erklärung der Bearbeitungsstrategien anhand von Musterbeispielen
* Zahlreiche, Test-relevante Übungsaufgaben mit kompletten Simulationen

SCHLAUCHFIGUREN
Übungsbuch

* Zahlreiche, erprobte Übungsaufgaben für ein ausgiebiges Training
* Genaue Analyse der typischen Fallen und Fehler im TMS & EMS
* Tipps für eine effizientere und schnellere Bearbeitung

TEXTVERSTÄNDNIS
Übungsbuch

* Medizinische Übungstexte zu TMS & EMS relevanten Themen
* Lösungsstrategien, Tipps und Tricks zur effizienten Bearbeitung
* Integrierter Lernplan mit Auswertungsbogen

2. E-LEARNING

In den letzten Jahren haben wir eine E-Learning-Plattform entwickelt auf der Du mittels Video-Tutorials alle Lösungsstrategien gezeigt bekommst und diese direkt mithilfe verschiedener Übungs- und Simulationsmodi trainieren kannst. Mithilfe der ausgeklügelten Lernstatistik erhältst Du Deinen individuellen Lernplan und kannst Dich dank unserer innovativen Ranking-Funktion mit allen anderen Teilnehmern vergleichen.

✳ TIPPS

✳ FÜR UMME

Auf unserer E-Learning-Plattform hat jeder die Möglichkeit kostenlos einen Einstufungstest zu machen. Dank der Ranking-Funktion kannst Du Dich direkt mit allen anderen Teilnehmern vergleichen und erhältst eine detaillierte Auswertung Deiner Stärken und Schwächen. Mehr Infos gibt es im Video. Einfach dem QR-Link folgen.

✳ GEHE DIREKT AUF LOS!

Scannen und loslegen! Hier geht's direkt zu unserer Lernplattform. Einfach dem QR-Link folgen.

◎ AKTUELL

● BULLSEYE

Eine Umfrage unter allen Teilnehmern unserer E-Learning-Plattform im vergangenen Jahr hat gezeigt, dass unser errechnetes Ranking beim Großteil auch dem tatsächlichen TMS Ergebnis entsprach. Mehr als 80 Prozent der Teilnehmer gaben an das exakt gleiche oder nur ein minimal abweichendes Ergebnis erreicht zu haben.

3. VORBEREITUNGSSEMINARE

Seit 2007 bieten wir Vorbereitungskurse zu studentisch fairen Preisen für den EMS, TMS, MedAT und Ham-Nat an. In unseren Seminaren stellen wir effiziente Bearbeitungsstrategien zu den einzelnen Untertests vor und trainieren diese mit den Teilnehmern anhand von Bei-spielaufgaben ein. Video Tutorials, Allgemeine Informationen zum EMS, TMS, MedAT und Ham-Nat, sowie Informationen zu unserem Kursangebot findest Du auf unserer Homepage www.medgurus.de.

 **TIPP**

* **WATCH AND LEARN**
  Lass Dir von Lucas unser gurutastisches TMS & EMS Kurs-programm verständlich erklären. Da ist für jeden Geschmack etwas dabei. Einfach dem QR-Link folgen.

LITERATUR VERZEICHNIS

M **Metzig, W., Schuster, M.. Lernen zu lernen:** Lernstrategien wirkungsvoll einsetzen. 6. Berlin: Springer, 2003.

S **Schneider, Hans. EMS Test. 2011:** http://www.ems-test.info/vorbereitung/figuren-lernen.html (Zugriff am 23.01.2013).

Z **Zentrum für Testentwicklung und Diagnostik an der Universität Freiburg. Vorbereitungsreport, 2005:** Vorbereitung auf den EMS – was und wie viel ist richtig? Freiburg: ZTD, 2005, 1–9.

Zentrum für Testentwicklung und Diagnostik an der Universität Freiburg, 2007: Test Info'07. Version A. Eignungstest für das Medizinstudium (EMS). Freiburg, Schweiz: 3–42.